中国古典小说

十大禁書

绣像本

下卷

国色天香

明 吴敬所

内蒙古人民出版社

碧梧双凤和鸣

自是，生为锦娘苦劝，渐理家政，稍治姻事矣。然自归后，未尝与琼相见，托锦达情。琼曰："言别期久，欲见心切。然郎为妹伤情，我亦为妹切念，悲哀情笃，欢爱意溺，且伊迩婚期，愿郎自玉。"锦复于生，生曰："吾此时忧切，非为风情。但偶有一事，欲见相议耳。"锦问其由，生具以徽音之事告之，且出其所作《闺赋》。锦以事告琼，琼曰："万里远来，若不并娶，彼将何之？吾固非妒妇也。"生托锦以事白之赵母及李老夫人，夫人曰："琼意何如？"锦曰："愿之。"李老夫人曰："待吾细思之。"锦曰："彼边庭远至，若不得婚，必讼于官，似为不雅。"老夫人曰："娶之不妨。"锦因对生言，生大欢喜。

翌日，二郎遣旧媒来言姻事。生正犹豫之际，忽见来仆自荆州回，以生自起行后，父闻总兵遣女回家就亲，惧生为彼所讼，故遣仆致书，命并娶以息争端。生与叔意遂快。复书，请二郎面议。

次日，二郎白马雕鞍，皂盖方旗，侍从锦袍，金铠银镞，仪卫之盛，遂造白郎之门。生与叔衣冠迎接。坐定，二郎曰："请家姊夫相见。"生笑曰："不才路次轻诳公子，获罪殊深，愿公见谅。"二郎曰："早知是吾姊夫，途中不加意痛饮耶？"因两释形骸，款洽言笑。生大设席，二郎痛饮。婚期之议已成，二郎遣人归报徽音。生曰：

"吾附去书，看还醒目否？"

洗耳尚未干，忽闻佳信至。舟中探花郎，天上乘鸾使，何事重惨凄，应须多娇媚。蓝桥会有期，秋波频转视。

徽音见之，略无动容。盖平时喜愠不形、德性坚定固然也。

二郎至晚回家，为道详悉。亦治姻具生，涓于五月十一日毕姻。是日也，榴火飞红，灿烂百花迎晓日；莲金献瑞，芬香十里逐和风。满道上百二祥光，一帘中十分春色。车行马骤，广寒宫里姮娥来；乐奏声闻，阊阖殿前仙侣至。星郎游洛浦，济济跄跄；神女下瑶台，娇娇绰绰。更有丫环数辈，皆仙籍之名姬；僮仆几人，悉天曹之力士。登筵佳客何殊朱履三千，入幕女宾直赛巫山十二。其物华之盛，仪卫之多，不能尽述也。

客有善为援史者，作《碧梧栖双凤图》以献。生爱之，与徽音、琼姐联诗云：

金井碧桐梧（生），高岗双凤呼。五色浮神彩（音），百尺长苍瑚。藻翮翔清汉（琼），风翎入翠图。银床姜奕叶，丹穴试双颅。阿阁朝阳地，楚宫栖凤都。齐声调律吕，合味荐醍醐。比翼终天会，冲霄千仞途。琼枝应向我，徽韵自知吾。绿荫留万载，瑞与九苞符。

徽音入门之后，侍锦娘、琼姐无不周悉，奉赵母老夫人则尽恭敬。凡于生前有所咨禀，必托锦、琼代言，其贤于人远矣。自是，赵母与生为一家之好，锦娘与生尽始终之情。

生后擢巍科，登高第，官次翰苑为名士夫。徽音生二子，琼姐生一子，皆擢进士，后琼姐、奇姐、徽音与白生合葬于南洲之南，迄今佳木繁茂，多产芳兰，子孙履墓，里许闻香。世人皆以为和气致祥云。

卷七　客夜琼谈

卖妻果报录

张鉴，乃秀水人也，落魄无羁，不事生业，日惟买笑缠头，纵情趋冀，家计为之一空。其妻纺绩自给，略无怨意。鉴则反生薄幸，谋诸牙婆，贾妻于江南人，得重价焉。

妻负死不往，江南人驱迫下船。载至一处，四面都水乡，茂林中，崇垣叠屋。扣门，有老妪出，喜曰："行货至矣。"须臾，捽鉴妻入一室，木桶旋绕，不异图圄。其中有妇十余，或有愁眉而坐者，或有挥涕而立者。鉴妻与俱终日不食，惟号泣以求死。守者怒究其故，鉴妻绐之曰："妾有金饰一匣，乃亡母所贻者，因夫浪费，不与之知，寄在邻家，自以不忍舍去也。"守者闻言，告于主人，欲利所有，不逆其诈也。遂复载之回。至，则鉴妻奔走叫冤，邻众悉聚。江南人被擒到官。比及拘鉴，先已遁去矣。情竟不白。

余适遇鉴妻，道及其事，因作《卖妇叹》一篇，欲献执政而不果，并载此集，以警世云：

西家有女少且妍,嫁与东邻恶少年。可怜一旦成反目,宝剑拟绝瑶琴弦。西南有等拘人虎,潜令牙妪来吾所。百金无吝买佳人,落花已被风为主。悠悠夜抵武林村,独舍无邻牢闭门。其中坐卧多女伴,彼此泣下难相存。置身如在图圄内,鹄寡鸾孤不成对。掠人更待掠人来,此时计财宁计类。晨昏逼逐下江船,江水茫茫恨接天。回首乡关云树隔,未知落在阿谁边。假令卖作良人妇,以顺相从苟不故。若教为妾得专房,负妨招嫌恩不固。又或卖为富家奴,汲水负薪历苦途。供承少错即凌虐,有路难归空怨夫。无端堕落风尘里,向人强以悲为喜。知心日少恶交多,送旧迎新如免死。人间情爱莫妻孥,忍暂何异具起徒。寄言并致买臣妇,贫贱相守当永图。

江南人深恨鉴妻之诈，不吝千金赎之，系以铁钮，恣加捶楚，不胜痛苦。过江时议欲卖与娼家。鉴妻受责颇多，绝粒又久，卧病竟不起矣。一日，忽长吁而逝，黑气弥漫，口有巨蛇跃出。居人甚骇，买棺贮而瘗之。

时遇医人经其处，草际见蛇蜕一条，腮下红白，异而收于囊，将为药饵之料。是夜，即梦少妇拜于前曰："妾，秀水人也，被夫卖至此地，不愿忍辱偷生，已致珠沉玉碎。但关山迢递，冤气赵趄。今公有龙舌之游，妾敢效骥尾之托，万弗疑拒，为幸！"言讫大恸。医人遂觉，反覆思之，莫晓梦妇所谓。及至嘉兴东栅外，少憩白莲寺前，药囊中闻阁阁之声，极力不能举。怪而启之，见蛇蜕化为白蛇，奋迅越湖而去。停望间，隔岸车水人倏然拥拂。急望其处，则蛇将一人噬其咽喉，绞结而难释。久之，人蛇俱死矣。审知其人即张鉴，昔尝卖妻于江南，其地即龙舌头上。始悟梦妇变幻之灵，报复之速。呜呼！人其可不慎欤？

联　咏　录

秀水通城门外二里，有潆水一潭，潭面广百步，而深则不可测也。且西受天目杭山诸源，湍急莫御。是以天气清朗，有白光三道起自潭中，直冲霄汉，数里外人及见之。若遇阴霾，则波涛汹恶，往往为舟楫患。五代时，异僧行云者经其处，指潭叹曰："西南险害，无是过也！我当为大众息之。"遂聚土实潭，建殿其上。落成之夕，三光复自土中突起，僧曰："吾几误矣！"即设高案置香案，自诵咒于案下，光遂收散。达旦，僧即筑土求材，临流建庙，题曰"龙王之祠"。其三光起处，又造二浮图以镇。水势既平，湖冲又杀，往来者便之感之。于是钱王赐额"保安"，赠行云为"保安禅主"。及宋，改"景德禅寺"，至今仍之。

迄元至正中，有曹睿辈宦游过此，登饮其间，用唐人句分韵赋诗。忽一老人长髯深眼，骨肉崚峥，飘然策杖而至，曰："老夫去此甚迩，闻诸君高怀，不揣驽朽，亦欲效一辇于英达之前，何如？"诸人心虽嫌异，姑缓而止之。睿即首倡云：

> 清晨出城郭，悠然振尘缨。仰观天宇宙，倚瞩川原平。竹树自潇洒，禽鸟相和鸣。龙渊古招提，飞盖集群英。唱酬出金石，提携杂瓶罂。丈夫贵旷达，细故奚足婴？道义山岳重，轩冕鸿毛轻。素心苟不渝，亦足安吾生。

范恂继咏：

> 凌晨访古刹，幽气集柱阿。雕甍旭日炫，维宇晴云摩。疏松奏笙簧，修竹唱凤珂。禅翁素所随，名流世来过。俯涧漱寒溜，涉登扣翠萝。瀹茗佐芳醑，谈玄间商歌。遂令尘土壤，如濯清冷波。

兹景诚奇逢，追游亦岂多？流光逐波澜，飞翼拔高柯。赋诗留苔萍，千载期不磨。

牛谅继咏：

灵湫闷驯龙，古殿敌金粟。僧归林下定，云傍檐端宿。伊余陪雅集，于此避炎酷。息阴悟道性，息静外荣辱。坐石飞清觞，堪欢白日速。别去将何如，留诗满新竹。

徐一夔继咏：

野旷天愈豁，川平路如断。不知何朝寺，突兀古湖岸。潭埋白云没，林密翠霏乱。胜地自潇洒，七月流将半。合并信难得，通塞奚足算！广文厌官舍，亦此事萧散。风榱爵屡行，萝灯席频换。但觉清啸发，宁顾白日旰？吾欲记兹游，扫壁分弱翰。

睿因请于老人，老人随口而应：

> 忆昔壮得志，云雷任摩挲。指顾感蛟鲸，叱咤驱风波。已矣而今老，悠悠困江河。良会岂曾识，意契即笑歌。夕歌恋松柱，晚风洒蒲荷。流霞杂轻烟，凌乱袭袂罗。佳景洽高谊，何妨醉颜酡。因嗟开山子，空堂负秋萝。生年几能百，时光度槐柯。名利钓人饵，青冢豪杰多。笑彼奔走生，自苦同蚕蛾。经营计长久，一朝委汤锅。世路且险测，杯弈藏干戈。达人尚高隐，乌帽甘清蓑。江花脂粉胜，林鸟官商和。石枕待春睡，新刍贮银螺。对此引深乐，天地奈我何！

吟毕，众人骇然敬服，不以野老视焉。因请名问答，老人曰："予龙姓，讳云，字子渊，别号江湖游客。家本山之西，来有年矣。"众人喜，遂相与极谈，飞觞流饮。及酒阑兴尽，命彻登舟。老人拱手言曰："顷侧行旌，承不以樗鄙相拒，敢献一语酬报诸君，何如？"众皆应曰："愿受教。"老人曰："诸君夜发，以程计两日后当过钱塘。但遇江风初动，有黑云自西北行南，慎弗轻躁取悔。斯时也，果验愚言忠益，不敢枉谢，得求殿宇新之，则吾邻有光多矣，将不胜于谢乎？"众人口诺心非，相礼而别。未数步，回顾老人，忽不见矣。众皆壮年豪迈，不以为意，急行舟去。

及两日后，早至钱塘江上。风敛日融，江面平静犹地，欲过者争舟而趁。恂、谅、一夔促装使发，惟曹睿曰："诸兄忆景德老人之言乎？吾辈非报急传烽、捕亡追敌者，纵迟半日，何误于身？岂必茫茫然效商贩为得耶？"三人相笑而止。笑未已，风果自西徐来，又黑云四五阵从北南向。睿曰："一验矣。"三人曰："试少待。"顷间，黑云中雷雨大布，狂风四作，满江浪势连天，如牛马奔突之状。争过者数百人，一旦尽葬鱼腹，惜哉！曹睿因指谓曰："诸兄以为何如？"三人失色相谢，睿曰："烂额焦头，何如徙薪曲突？此无知魏先平陈受赏，君子美其干本不忘也。今非此老预告，则吾属亦化波心一沤矣，何能携手复相语哉！"三人曰："诚如兄言。"

遂送棹三塔湾下，访其僧，俱言西邻无龙姓之宅。曹睿默然良久。曰："噫！可知矣。咏诗起联及名号寓意，宛然一龙神也，何疑！其祠居寺右，故曰'西邻'；所谓'名利钓人饵，世路且险测'诸言，警悟于吾辈甚谆切也。愚昧凡资，自不能释其意耳。"遂相与洁牲馐拜于祠下，以伸谢之。又各出白金三十斤为新殿之费。有僧某，辞不敢领。睿等谓曰："王之指救，再生大德也，虽欲市珠投报，水路难通，在耳教言，何忍忘者？况有身则能孚财，今纵无财，独不愈于无身乎？尔能敬忠其事，在山门亦孔荣矣，何用辞！"且顾谓二人曰："一宦劳身，几尔寄魂水府，幸存弱质，何当复蹈危途？不若听鸟家山，看花故里，醉眠风月光中，以副龙神讽嘱之意。不然，汤锅之祸信踵弊春蚕矣，能不畏哉！"三人皆唯唯应。即日同章告养，托病归田，可谓卓然达矣。今以"龙渊胜境"匾其门，盖亦承此意欤？

卧云幽士评：

> 世有契约借贷而反面不肯偿，乞暗蚕明而劳身亦恋禄者多也。今睿等虽免于难，使他人处此，反以福幸为自致矣，何能念及景德老人之言乎？况又非追索邀求而舍金如丸弹，非犯嫌被论而弃位如敝屣，卒能不负龙神所望，岂不诚贤达哉？

酒蘖迷人传

元末有姓姜者，名应兆，世业耕教，为人谨且厚，里人多称之。然性恶酒，虽气亦不欲入息。遇乡社会饮，则蹙容不满，曰："食以谷为主，何事糟粕味耶？"日迈，邻老饮醉，身软不能支，姜因而扶归。见袖中块然，探之，金也。私自忖曰："田野无知，得此不为盗。况人昏路远，岂意我为？"遂窃入己。及归，酒醒，觅金，金已亡矣，邻老泣于家曰："吾子以冤事直于官，三年不为理，吾子再诉之，官怒其梗顽，强以入罪，例准银为赎。吾老且病，何忍吾子久系缧绁中？乃典田鬻屋，得金一锭，昨醉遗途中，落他人之手。前以为虽失吾业，犹可以有吾子也，今并而无之，吾死矣。夫苟且所言，愿分半为谢。"姜虽闻其哀怨，未言，竟不动意。

是夕二更时，一馆生读倦，暂憩几上，闻门外啾唧有声。谛听之，有人似欲进者，喝曰："汝何物，敢行阻我？"又有人似执门者，应曰："我乃山桃厉鬼，司人门户，若遇妖魅，必斧而啖之。尔乃何物，抗然冒进，抑未知吾斧邪？"斯人徐谓曰："汝不识我，无怪其言之倨也。我姓米，字香夫，号洌泉清士。始祖醴酪君，起迹庖羲时，封居醉乡，不与夷狄氏善，族遂蕃衍，名通与禹，方将大用，奈为奸人所谗，疏斥而不录。延至夏桀，进秩瑶台士卿，与肉山脯林相左右。及事商，复遭际于桀，膺长夜之宠，以此名重天下。周遂计之，作诰数我，谪我为青州从事，我悔艾，即奋然修改。当春秋战国间，默然懒事，不求合于人。二世僭兴，念人主如六骥驰隙，乃悉耳目，穷心志，索我于荒寥穷散中，昼尔与俱，宵尔与游，脱有不见，则深思而呼召，亲幸之专，虽斯、高不能及也。自是名益尊，职益重，朝野群然慕其风味。故汉高仗我毙白帝于泽中，宋祖得予释兵权于席上。竹林助刘、阮之清声，禁披发李贺之才思。子思辞我于馈者，可尽孝以明廉；寇准假我于澶渊，能安居而退虏。既颓阮氏之玉山，复入党家之锦幕。潜身比舍，敢夸毕卓豪情；息火成都，用显栾巴妙术。染海棠之号于杨妃，健草圣之豪于张旭。邀欢戚里，张镇周之尽法全恩；取令贼营，郭令公之出奇破敌。流芳靡世，统裔延长，自宋讫今，声名犹在。

吾奉天帝命，来游汝家，纵欲持一斧以相拒，亦无奈我何！"人又曰："果汝所说，世第若高远矣。然我非博古者，请再明之。"又似人答曰："汝犹未解乎？我世掌天下趋蘖事，非木怪禽妖之比，是以享幽非我不格，洽人无我不欢，敬我者圣贤致号，爱我者歌曲怡情，行己在清浊间，而处众则醇如也。尔欲知我，云尔已矣，他何有哉。"似执门者又问曰："然则汝业何事？"似欲进者又答曰："吾尝病软饱，因厌事，然犹日能与高阳徒偕竹叶、椒葩、霞泉、雪液辈五六人，泛水登山，穿花步月，无不在耳。倦则酣然一枕，事且不能扰也，况本无乎！"似执门者遂叹曰："汝真乐人矣，不识今何所居？"似欲进者复曰："居虽不一，但随寓所安。或市桥启肆，或湖舍悬帘；或清酿乎田家，或黄封之御院；或冲寒于雪朝茅屋之中，或遣兴于雨夕蓬窗之下；或随樵檐而穿云，或侣渔舟而钓月；或被儒貌，兴至吟斋，或因妓珰，换归舞阁。广哉居乎，遇使然也；皆非吾所愿也。岂若红杏村中，黄

花篱下，小门流水，燕影莺声，使牧子放牛新草，行人系马垂杨，对持瓦砾之樽，以谐茅柴之味，心始陶陶然乐矣，何必优妓佐之，鼓舞维之，牌役强之，徒自取劳苦为哉！"问者又曰："审汝言，尔殆鬼于酒者。今是之来，祸福抑何所主？"欲进者笑曰："非敢为糵耗之耳。主人亏行，阴窃人急迫之财，致父子无措，几死非命，上帝阴行遣罚，念汝家世有德于乡，不忍即殛，姑使我迷溺而报之也。"问者又曰："主人性俭饮，纵耗奚益？"欲进者答曰："第自有处。"人又问曰："吾闻酒有德，自古尚之，汝反欲为术，糵于人果何术以逞耶？"欲进者答曰："居，居，与汝语！当某宾主应酬，礼恭迎肃，钟磬焉，诗歌焉，衣冠楚楚，言语雍雍，虽进退俯仰间必中节度，此上饮也，我相之。及至杯盘狼藉，笑谑欢呼。攘臂厅中，僭阶越坐，始虽少闲乎礼，终必忘长幼、略尊卑，一惟以和乐为快，此中饮也，我主之。又有沽醪市脯，敛分派钱，撰号呼名，笑骂交错，归则携手街途，口似曲而糊模，身欲行而倾侧，日习为常、不以家为意者，下饮也，我阴使之。然犹未甚也。至若提壶市上，乞汁墦间，踝跣伛偻，成行逐伙，夜则寄梦桥亭，晓则悬飘寺宇，蚁虱为邻而腥膻为袭，若而人者，不可谓非我困苦之也。又有承祖父之厚遗，不思守继，而乃酷与莲花君合，日挈无赖之徒，挥金纵饮，虽良朋至戚瞑眩切救而不入，必至房易主主，子妾依人，犹且遑遑然鼻嗅心香，思欲一灶吸以偿愿，千方求办，弗得弗止，若而人者，不可谓非我沉昏之也。又有饕晕浆于显者，仰饮食于相知，迎走趋陪，终宵不厌，及其口腹相忤，量不胜贪，头重足轻，顺入者悖也，浊气熏人，视沟渠溷厕中以为枕席在是矣，恬然眠卧而莫觉，若而人者，不可谓非我剉辱之也。又有被醉使狂，寻嗔生事，不合则拳足相加，或伤人，或杀人，由是羁縻官府，桎梏囹圄，伤者枝条，杀者抵死，罪未成而家先败，悔救何能及哉！若而人者，又岂非我有以颠倒之邪？"问者良久谓曰："饮酌皆前定，果有之乎！合我且退，尔且行。"啾唧之声遂息。馆生大骇，及明，亦不敢泄。

午炊后，见应兆忽思酒，索于家人。家人曰："厌糟粕者亦复如是邪？"应兆曰："姑破俗可也。"然忻然拈壶满酌，至醉而罢。家人生徒辈俱异之。惟夜读者默识其意。

由是，日夜酣歌，遨游博饮，心虽知其失而势不可回，若有神使之者。不半年间而所窃之金悉偿酒税。醉则狂歌闱语，乡中人渐鄙之，生徒俱散。再三年，世遗资产尽变费以供口腹，衣衫垢结，容体羸枯。家人痛哭，谓曰："追思丰乐人家，一旦伶仃至此！费者不可复完矣，而郎君素循善，何不改易弦辙，为训后人？不然，使亏玷世德，自郎君之身始，甚可羞也。"应兆不对，趋出，匿于村店中，买酒自遣。心怀愧忿，饮亦不成醉，沉吟俯首，至夜忘归。适店主涉事于外，其女见应兆雅饰，心欲私之，更余，以言侵狎应兆，遂行自献。应兆默忖曰："向因一念之差，病狂流落，今虽修积及时，补且不逮，而况淫污非道以重之，死无所矣！"乃坚持固却，以为"不可，不可"，竟秉烛待曙而还。

是夜寝熟，梦一人施礼床下，曰："吾，酒蘖也。前因不义，来醉汝心，四年于兹矣，昨夜一念起善，上帝知汝非怙恶者流，敕吾别游，不相迷扰，从此永辞。君宜亦勉。"觉来行雨如流，口呕一物堕地，令人起烛之，若血块然者。

及明，遂不思饮。试以酒置于前，厌恶如故。其子复立家成业，应兆亦享寿而终。

应兆之妻亲陆某者，尝书此事以垂戒。予因述此，以继陆某之志云。

翠珠传

翠珠姓王，禾城名妓也。丰姿婉润，声色绝群，人有慕之者，非重价不轻接。

一日，国学生潘某闻其名，盛资而往，因与之狎，情甚绸缪，分钗破镜，剪发燃香，誓同死生。交袂年余，而潘生之囊箧十荡八九于其门矣。已而赴试秋闱，两不能舍，临期泣执不胜。

潘因家随废落，监事羁迟，淹于旅者两载。后得解归，越日即往候。翠珠方坐中堂，同一富商对饮，见潘至，恬不为容，若不识一面者。及发言，竟以姓问。潘虽疑异，犹意其假托于人前也。明日再往，使家人召之别室。及相见，而情亦然。潘怒，出所剪发掷之，曰："子知此物乎！"翠始转颜回笑，近坐呼茶。而潘终汹汹不平矣，乃拂袖言旋。翠亦无援心。

归家大怒，以其事诉于友，欲砺刃以磔此恨。其友叹曰："娼行薄劣，本其故态，兄抑以为异邪？自昧而自蹈之，尤人何益！"潘意稍解，因作《解嫖论》以示人云：

夫人常情，非爱财财爱身也，非畏法则畏礼也，非虑前即虑后也，非好名则好胜也。人之于财，或以毫厘而贸易难成，或以分文而童仆笞挞，或以假借而朋友分袂，或以不均而兄弟构词。至于淫色，则倾囊橐破家资而欣为之，甚则甘饿殍胥盗贼而终身不悟也，谓之何哉？人之于身，或以坠马而畏骑，或以危舟而靳渡，或刺皮肤而艴然怒不可当，或有小疾而戚然恐不能起。至于淫色，则耗精神丧元气而恬然为之，甚则染恶疮耽恶疾而甘心不悔也，谓之何哉？且无禄者犯奸有罚，职役者宿娼有禁，法之可畏也明矣。今之人，缢死于旧院，刺杀于南楼，为嫁买而经官问罪，缘淫奔而出丑遭刑，可不羞之甚邪！色荒之训《书》有之，冶容之戒《易》有之，理之当鉴也明矣。今之人正气丧于邪气，名节丧于妖媚，居乡则见恶于闾里，居官则招议于缙绅，何弗思之甚邪？祖之有孙，愿其绳武以显我门庭，父之有子，愿其克肖以分我忧虑，今或为色破家丧命，辱其祖父，而祖父以此怨恨至于病且殁者甚多，是使其身为不孝不慈之身，虽有他能不足称也，光前之道，固如是乎？妻之有夫，望其为我之托而醮一不移，子之有父，望其为我之天而终身永赖，今或为色捐家废产，离其妻子，而妻子以此穷困见辱于人者恒多，是生其身为无礼无义之身，虽有豪才不足取也，裕后之道，又如斯乎？死于战者以勇名，死于谏者以直名，若死于淫色者名之为败子，为其败家也，名之为下稍，为其流落也，苟有好名之心者，当有所耻而不为矣。而人固安之，何其愚哉！业学者以文胜，业农者以耕胜，若出于淫色者或生乎男，何忍使之为优也？或生乎女，何忍使之为妓也？苟有好胜之心者，当有所择而不为矣。而人顾愿之，何其卑哉！或者以子美之四娘、安石之云月、东坡之琴操、陶谷之若兰为四公之乐，而不知此实四公之累也。或者以相如之

300

窃玉、韩寿之偷香、张敞之画眉、沈约之瘦腰为四君之豪，而不知此实四君之玷也。故与其为项羽之嬖虞姬，孰若为云长之斩貂蝉？与其为君瑞之谋崔莺，孰若为睢阳之杀爱妾？与其为申生之慕娇红，孰若为贾清之搬烟花？明此，于穷则为清白之君子；明此，于达则为正直之大夫；明此，于寒微则可以立家；明此，于富足则可以保业，所谓腰家仗剑与色不迷人云者。尝读《孔子世家》，见柳下惠坐怀不乱，鲁男子闭户不纳；读《晏婴实录》，见里妇顾婴微笑，晏子悔责数日之言；读《江右野史》，见冯商聘妾遣还、生子状元及第之报，乃喟然叹曰："不淫女色，非独爱身也，爱德也，而财又不足言矣；非独畏理也，畏天也，而法又不足言矣；非独虑后也，虑鬼神也，而前又不足言矣；非独好名也，好积善也，而好胜又不足言矣。知此，则楚馆秦楼非乐地也，乃人之苦狱也；歌妓舞女非乐人也，破家之鬼魅也；传情递笑非乐意也，迷魂之乐意也；倒凤颠鸾非乐事也，催命之妖狐也。引而伸之，触类而长之，虽家梅不可折，而况于野乎？虽女色不可淫，而况于人乎？鄙见如斯，人情自悟。

后因复就秋试，夜泊江边，忽见富商立舟上，颜枯衣缕，为人执薄设之役。生异而问曰："尊官可念王翠珠否?"其商骇愕曰:"公非中堂相会者乎?"潘曰:"是也。"商即蹙容曰:"仆因此妇迷恋,挥金与游,然犹未甚,后许携资嫁我,情好益笃,我始罄所有而与之,意为彼即我矣。岂知床头一空,前言若水,香消翠冷,爱转情飞。其母复妨恶,促我裹粮,逼我行芨,又且嗾儿挞婢,无非欲激逐我也。我不能当,隐忍走出,方欲鸣之官司,而母子已徙他所。无可奈何,以故依栖流落,寄食于人,又不知家园松菊之何如也!"言讫泪下。潘因招饮,以赆资十缗赠之而别。

及抵试,得领畿荐。荣回时,翠珠母子已舣舟迎叩矣。潘乃扬帆不顾,因使人撼辱之。

不数月,潘之友一夕饮散,经潘之门,见绿衣人驱二女子而立,悲啼不肯进。红衣人曰:"业已承认,又复何言?"又曰:"翠珠,翠珠,谁教你如此!"押之而人。友疑其事,早往访之,则潘家夜育二犬。急遣人寻问翠迹,母子以暴病夜卒矣。潘与友拍掌大笑,以为奇异。及乱呼以"翠珠",摇尾而应。呜呼!迷人诱引,所害者不止一儒一商也,天以此报,岂负珠哉!

买 臣 记

汉朱买臣者,旧吾郡由拳县人也,字翁子,与同邑严照垂髫相善,结为刎颈之交,且约曰:"苟相贵,毋相忘。"家虽甚贫,不喜生业事,惟好读书。夫妻艰于口食,遂采薪以为给。身担负,口读书,遇有悦解处,则吟哦讽咏之声迤逦道上。其妻常耻之，谓买臣曰："丈夫立身，上不得弧矢以行志，下不能货殖以营生，筋骨体肤劳饿以倦，方且悲伤之不暇，而乃犯歌若得，窃为君不取也。"买臣曰："贫者士之常，若非分张求，则悖命矣，君子耻之。负薪行歌，何耻之有？"其妻复劝曰："吾闻读书以治生为先，未闻作一词、撰一赋而可易斗粟于家、尺帛于女者。今君欲仗章句以却饥寒，计诚拙矣。况医、卜、农、工皆能立业，何不舍此务彼，徒久误足文场，困身艺圃，栖栖然效秦坑酸鬼以自苦哉？"买臣又笑谓曰："富贵双途，贤者所难致。子以我为池中物耶？一旦云雷我假，鼓波沧溟，斯予得志之秋矣。何不俟命待时，徒怨奚益！"妻遂大怒曰："邑中挟策之士连袂同升者十下八九，尔犹奔走，衣食且不逮，是天不欲竟尔业也。若复执迷而不改图，吾恐力尽计穷，沟壑有日，何得志之可望耶？"买臣乃长叹曰："鸿鹄非燕雀所知。此苏秦、百里奚之见辱于其妻也。及其取相六国，辅政两朝，是卒前日见辱之人为之。二妇既不能料二子矣，子独能料我乎？"其妻怒且泣曰："尔自执经以来，误我以久。及今思悔，犹且难为，而况痴比古人，梦想以邀难必之福，吾知啼号之态终不能免也，仰望岂不愈绝乎！故或受我忠言，偕老可托，不然，则巾栉不敢复侍矣！汝将何从？"买臣亦怒曰："丈夫志节岂为妇人所挠？汝身可无，我业决不可辍也。"妻遂再拜曰："半生既枉，再误何堪！吾虽浑迹于童婢之中，亦得以温饱终岁，岂不愈于铄骨销形，岂成冻馁之殍乎哉！从此请辞。”忿不为止。将行时，邻家一犬趋，摇首尾，于后啮其裙，不使之走，似若劝阻之意，妇虽怒为挥喝，牢不肯脱。家中一鸡，亦相扑，啄其衣，又似啄其犬者。邻姬以为异，婉言援之。妻不纳，竟去，遂自嫁于杉青吏人。

买臣见妻去，不能为情，复歌以自遣云：

> 朱买臣，朱买臣，行歌负担妻子嗔。恩情难系薄劣妇，一旦捐弃如轻尘。鸳鸯分翼比目破，孤灯举目无相亲。贫富于世果炎热，结发尚尔况路人！功名到手未为晚，太公八十遇泽新。细君何必苦反覆，吾岂樵柴终其身？朱买臣，何灾迍，食比玉粒衣悬鹑。自知一卷胜万贯，时不遇兮怨恨贫。数年衾枕一宵冷，飘风流梗同逡巡。回嗔何处已作喜，发云重整眉新颦。朱买臣，莫笑嗔，隐忍依旧肩横薪。山光泉韵两如脱，醉卧危石花为茵。翠萝青鸟暂宾主，芒鞋踏破岩头春。有时此斧利得柄，一斩天下之荆榛。歌残烟卷日已暮，松梢新月钓桂银。

歌罢，忽自叹曰：“古人功业成于激发者恒多，我何若尔也！”遂诣长安，上书。

时严照已贵，见买臣，即谓曰：“吾幸先达，而故人犹寒如旧，负约之罪，鸣鼓难偿矣。”乃祝吾丘寿王，同荐买臣于武帝。帝召见，说《春秋》、《楚辞》，甚悦其意，遂拜为中大夫，与司马相如、枚皋等，俾交相议论。

时东粤数反覆不轨，买臣请将兵数千，"浮海而下，可卷席取也。"帝又拜为会稽守。买臣至郡，即治战具，储粮草，发兵征之，一掣而破。帝壮其功，征为丞相长史。

时舟过杉青闸下，闸吏奔趋惶惧。其妻审知买臣也，即脱簪珥，拜伏舟次，曰："贱妾某氏也，事尊官有年矣，一念迫于饥寒，遂致分手。然心实未尝昧也。伏望沧海容流，泰山让土，追思花烛微情，不以妾为大罪，俾得破镜复圆，断弦再续，则妾万幸，万幸！"买臣长笑曰："汝记昔日之言乎？怨恨求离，以我为泥中蛆蚓，讵料贫贱未必常，富贵未必久，绝情断义，曾鸡犬之不若。而今又附势趋炎，置闸吏于何地？抚今追昔，扬水不能收矣！何乃冒方沂之颜、出重赧之色以求见我哉？羞死宜甘，强辞宜补。"言下，辟易莫敢对。良久，遂自投于河中而死。买臣即以尸首葬于亭湾，名曰："羞墓"。后人方孝孺题诗于亭云。备如左：

芳草池边一故丘，千年埋骨不埋羞。叮咛嘱咐人间妇，自古糟糠合到头。

宋梅尧臣诗：

食藕莫问浊水泥，嫁婿莫问寒家儿。寒儿黧黑而无脂，骥子纵瘦骨格奇。买臣贫贱妻生离，行歌负薪何愧之？高车远驾建朱旗，铜牙文弩抔犀皮。官迎吏走马万蹄，江湖昼夜横白霓。旧妻呼载后乘归，悔泪夜落无声啼。吴酒虽美吴鱼肥，侬今豢养惭鸡犬。园中高树多曲枝，一日桂与桑虫齐。

醒 迷 录

正德中，有忠告者，崇德人，祖、父俱显官，忠得以例授一儒官。为人豁达大度，傲物轻财，性喜博掷为戏，田产虽以万计，而自视恒约如也。又奉一纯阳师甚虔，出必问，人于礼；至于一肴一菜，不先祭则不敢自食。门下有友二人曰胡应圭、陆一奇者，日导忠以博饮事。忠虽视为知己，其如二子之口蜜腹剑何！不数年间，家业荡废，而二子则日益饶富。

一日，会忠昼卧，梦二道士纶巾羽衣，对忠语曰：

"子急悔心，不当恋溺。若苦艰之，后园松下之藏，犹可成立。至于胡、陆二子，吾已征示其诛矣。"言毕，流汗浃背，觉来见供炉下足一纸飞扬，执以视之，题曰《醒迷余论》，墨迹犹鲜。其论附录于后：

大抵事近于戏则易染，心涉乎利则难逃。是以赌博之事，不计大小久暂，皆足以废业丧心、招怨动气，甚者亏名玷节，露耻扬羞，又甚至败家者有之，亡身者有之。嗟呼！一念少差，竟迷于利，纵有所得，亦不能补其所损，况未必得乎！且以其事言之，灭礼义而尚凶强，去真诚以使机变，当场得失，交战营营，怒目扬声，无仪多厌，冒寒暑而莫知，甘饥渴而不顾，尽日终宵，虽劳不怨，耗神殚力，自苦何辜！且因多寡伤朋友之情，竞锱铢启是非之衅，儒者惰业，农者失时，商者荡资，工者怠事，耽身误己，未有若此之甚者也。及其彼此息争，胜败攸判，得者不足以偿劳，失者愈有以肌愕，割不忍之金，强慨然之态，久为囊物，顷付他人，赵璧隋珠，爱之不得，纵平日称为至契者，欲假分文，勃然变色，虽赧颜屈节以求之，不可得也。此时此际，忧容可掬，哽气频呼，内讼默思，欲追无及，人亦何苦而自取如此耶！及其临夜归家，吞声敛迹，含怨有仆，垢面有妻，子不为欢，母不为语，虽剩汁残羹，亦一吸而尽。犹且多营处置一谋，将作恢复之计，梦魂颠倒，博骋相从，甚者悲愤迭兴，寝寐俱废，祸由此酿，疾由此媒。反而思之，非不得已事也，人亦何苦而自迷若此邪！及其或称贷于人，或沽典于己，急急孜孜，惟求再逞，饮食所在，若将不遑，视得若取诸寄也。岂知处既败之势难救，挟未盈之本无威，气弱心荒，人皆可侮，猜红觅六，十无一从，千方之所获者，一旦失之而不足矣。属望虽殷，徒为空想之迹，人亦何苦而自戚如此邪！及其黄昏将近，意兴方浓，虽其心欲言旋，奈何势不由己，索烛求油，抛家寄宿，致悬父母之忧思，因爽亲朋之信约。遍寻无觅，童子倚门而迎，逐想难求，佳人守灯以待，吾方逞雄心，争博手，嚣嚣然自以为乐也。身亲不善，聚怨一门，反己怀惭，细思无益，人亦何苦而自玷如此邪！及其屡试不利，兴阻于空囊，志靡于稍短，袖手傍观，眼红心热，欲弃之则意有所难舍，将复之则力有所不能，踌躇莫决，如醉如痴，家事不支，非惟不复措念，纵一勉强为之，亦恍然若失矣。昏迷沉溺，恋恋不忘，俯首凭几，形影相吊，人亦何苦而自溺如此邪！又有一等奸险小人，专一伺访良善，乘其可入之机，附以知己之列，言动之，利诱之，酒食结之，作阱成笼，不至于不入不已也。及其鬓发一把，钓铒一吞，始之所言，毫不能应，虚利虽无，实祸先至。且彼机械熟于久炼，诡诈出乎多端，色有铅沙，马有脱注，虽号精敏者亦堕术中，况以愚弱之身而当彼无穷之计，则其胜负不待对局了然可卜矣。即运郭况之金穴，输邓通之铜山，日亦不继，况其他乎！人反不悟于斯，必欲与之相驱骋焉。呜呼！是犹石没湍水，愈翻则愈沉也，羊触藩篱，弥逞则弥困也，求其能济事者，吾未之见也！已间或侥幸少得，人即怨尤，弱者引恨之以心，强者直拒之以色；又有狂罔之徒，从而诉于亲，告于友，讼于官司，体面大伤，廉节尽丧，较之微利，孰重孰轻？呜呼！辱害相系必至于斯而犹不知悔，更将何待邪！又尝如夫色也，古称五白，戏始牧猪，无金玉之质，无耆宿之尊，无耳目之见闻，其初蠢然一骨耳。切磋焉，琢磨焉，斯是矣。至于投叱之下，偏能顺小人、欺君子，宛转隐见之间，欲少假借而一毫无所容其能，卒亦付之蠢然之骨耳！呜呼！人灵万物，乃遑遑焉仰求于蠢然之骨，而又为蠢然之骨所窘困，可哀也哉！故择术贵精，与人贵正。苟不能择而与之，一旦误入于内，恬不知愧，及对达尊长者惟恐闻之，设若言友于此，亦仰面不敢赞一语。呜呼！肆欲于朋淫之日而曲文于君子之前，将欲塞耳盗铃、蒙头操刃者等耳，欲人之不闻且见也，何可得哉！况乎此行一开，百恶皆萃，纳污引侮，莫不由斯。贤者不为礼，富者不为托，智者目为愚，俭者鄙为败，父母恶为不肖，乡党指为下稍，小竞蝇头，致庶众谤，竞者未实，谤者有加，呜呼！以亲党不韪之名易难望之利，虽乡人不为，而人竞甘冒，可悲也！夫自取自溺者既如此，可哀可悲者又如彼，然而斯人之耽且好者何哉？不曰仗此肥家，则曰冀此取乐，噫！陋哉！言之过矣。天下之利，何事无之？明经足以干禄，用武足以要封，鬻贩足以盈资，桑麻足以广积，皆事也，则皆利也，何以丧名节以求之乎？吾恐家未必肥，而空虚瘠弱之弊先速之矣，肥者果安在哉？天下之乐，何事无之？读书可以开襟胸，弹琴可以怡性情，种花可以观天机，养鱼可以寄生意，皆事也，则皆乐也，何必冒污辱以求之乎？吾恐乐未必取，而忧愁抑郁之思，先逼之矣，乐者固如此哉？况其转展相寻间，彼此两失，机杼脂膏暗铄于囊头之手，田桑汗血潜消于录事之家，所谓鹬蚌相持，渔人得利，正谓此耳。盍不鉴诸古人乎？忿心生于傅杀，致残鸿雁之情；淫行起于点筹，因造房帏之丑；樗蒲百万，达者见机；坑堑二三，宦途有诮；家产之俱尽，桓温几丧沟渠；担石之无储，刘毅将为浪荡；至于投马以绝呼，亡羊以从事，四绯以彰快，孤注以明穷，不其枚举，而其为累一也。自古迄今，遗声尚臭，由今迨后，取法贵芳。故其白衣事省，黄口身闲，取此消遣，固无暇责矣。乃若言儒言，貌儒貌，服儒服，冠儒冠者，亦倡和成风，竞相笃好，史籍诗书，束弃高架，虽蒙尘积垢，而心灰志夺，视如仇敌，小而人事礼文因之尽废，及其较技抡选之时，风檐暑影之下，荣辱甚关，心手莫措，日之相与以为乐者，果能代我否邪？及今知改，则名可全，家可保，终身俊髦，苟遂昏迷，吾不知所了矣，何也？日月反照，无损于明；君子绳愆，不累其德。以陈元、周处之徒，尚自发愤改行，卒为善人，况吾辈号英达者不减元处，而未闻能自悔讼，岂以既招物议、改亦无救也欤？噫嘻！人孰无过，改之为难，过孰无因，原之为尽。向使商甲不悔桐墓，几为暴桀之君；汉武不

下轮台，则亦亡秦之续。孰为改之，功不既大
哉！

忠读一过，悔叹移时。寻掘松根，得金一瓮，皆刻告氏
字，必忠高曾物也，此故后人无有知者。

再往二子家，探胡瞎一目，陆跛一足，颓然皆残形
矣。忠乃惊惶，自是绝不与相交接。

又以所得之资分人货殖，后致大富。胡、陆二子，渐
至穷迫，老年携乞于途，人皆指以为鉴。仙师神报，亦显
矣哉！

琴 精 记

鹤云者，乃邓州人，姓金也，美风调，乐琴书，为时
辈所称许。宋嘉熙间，薄游秀州，馆一富家。其卧室贴近
招提寺，夜间隔墙有歌声，乍远乍近，或高或低。初虽疑
之，自后无夜不闻，遂不以为意。

一夕，月明风细，人静更深，不觉歌声起自窗外。窥
之，见一女子，约年十七八，风鬟露鬓，绰约有姿。疑是
主家妾媵夜出私奔，不敢启户。侧耳听其歌曰：

> 音、音、音，你负心。你真负心。孤负我，
> 到如今。记得当时低低唱，浅浅斟，一曲值千
> 金。如今寂寞古墙阴，秋风荒草白云深。断桥流
> 水何处寻？凄凄切切，冷冷清清，教奴怎梦。

女子歌毕，敲户言曰："闻君俊才绝世，故冒禁以相就。今乃闭户不纳，若效鲁男子行邪？"鹤云闻言，不能自抑，才启户。女子拥至榻前矣。

鹤云曰："如此良夜，更会佳人，奈何烛灭樽空，不能为一款曲也？"女子曰："得抱衾裯，以荐枕席，期在岁月，何必泥于今宵？况醉翁之意不在酒乎！"乃解衣共入帐中，罄尽缱绻之乐。迨隔窗鸡唱，邻寺钟鸣。女子起曰："奴回也！"鹤云嘱之再至，女子曰："勿多言，管不教郎独宿。"遂悄悄而去。

次夜，鹤云具酒馔以待，女子果来，相与并坐酣畅。女子仍歌昨文之辞，鹤云曰："对新人不宜歌旧曲，逢乐地讵所道忧情？"因更前韵而歌之曰：

> 音、音、音，知有心。知伊有心，勾引我到于今。最堪斯夕，灯前偶，花下斟，一笑胜千金。俄然云雨异春荫，玉山齐倒绛帷深。须知此乐更何寻。来经月白，去会清风，兴益难禁。

女子闻歌，起而谢曰："君之斯咏，可谓转旧为新，除忧就乐也！"彼此欢情更浓于昨。自是无一夕不会。花苒半载，鲜有知者。

忽一夕，女子至而泣下。鹤云怪问，始则隐忍，既则大恸。鹤云慰之良久，乃收泪言曰："奴本曹刺史之女，

幸得仙术，优游洞天。但凡心未除，遭此谪降。感君同
契，久奉欢娱。讵料数尽今宵。君前程远大，金陵之会，
夹山之游，殆有日矣！幸惟善保始终。"云亦不胜凄怆，
至四鼓，赠女子以金。别去未几，大雨倾盆，霹雳一声，
窗外古墙悉倾倒矣。鹤云神魄飘荡，明日遂不复留此。

二年后，富家筑于基下，掘一石匣，获琴与金，竟莫
晓此故。时闻鹤云宰金陵，悉其好琴，使人携献。鹤云见
琴光彩夺目，知非凡材，顾然受之，置于石床。远而望
立，则前女子就而抚之；近而视之，则依然琴也。方悟女
子为琴精，且惊且喜。适有峡州之迁，鹤云得重疾，临死
命家人以琴合葬。琴精之言，一一验矣。人有定数，物可
先知，岂不信哉？

箒 精 记

洪武间，本觉寺有一少年僧，名湛然，房颇僻寂。一
夕独坐庭中，见一美女，瘦腰长裙，行步便捷，而妆亦不
多饰。僧欲进问，忽不见矣。明夜登厕，又过其前。湛然
急起就之，则又隐矣。他人处此，必不能堪，况僧乎？

自是惶惑殊深，淫情交引，苦思不置。越两日，又徐
步于厕。僧急牵其衣，女复徉为惭怯之态。再三恳之，方
与入室。及叙坐，僧复逼体近之，渐相调谑间，竟成云
雨。事毕，问其居址姓字，女曰："妾乃寺邻之家，父母
钟爱，嫁妾之晚。今有私于人，故数数潜出，不料经此，
又移情于汝。然当缄密其事，则交可久。不然，彼此玷

矣!"僧唯唯从命。于是,且去暮来,无夕不会。

　　将及期,僧不觉容体枯瘦,气息恹然,渐无生意。虽同袍医治,百端罔功。寺中有一老僧谓曰:"察汝病脉,瘵症兼致。阴邪甚盛,必有所致。苟不明言,事无济矣!"湛然骇惧,勉述往事。众曰:"是矣!然此祟不除,则汝恙不愈。今若复来,汝同其往,而踪迹之,则治术可施也。"

　　是夕,女至。湛然仍与交合。将行,欲起随送。女止之曰:"僧居寂落,夜得美妇欢处,是亦乐矣!何苦自感如此。"湛然不能往,强而罢焉。翌日告众,众乃忖曰:"明夜彼来,当待之如常。密以一物,置其身。吾等游于房外,俟临别时,击门为约,吾等协当尾随,必得而止,则祟可破矣!"湛然一一领记。

　　后一夕,湛然觉神思恍惚,方倚床独卧,女果推门复入。僧与私曲,益加温厚。鸡鸣时,女辞去。僧潜以一荻花插女鬓上,又敲其门者三。众僧闻击声,俱起追察,但见一女冉冉而去。众乃鸣铃诵咒,执锡执兵相与赶逐。直至

方丈后一小室中乃灭。此室传言三代祖定化之处，一年一开奉祭，余时封闭而已。

众僧知女隐迹，即踊跃破窗而入，一无所见，但西北佛厨后烁烁微光，即往烛之，则竖一敝箒耳。竹质润滑，枝束鲜莹，盖已数十年外物也。众方疑惑，而靓花在柄，因共信之。乃持至堂前，抽折一筊，则水流滴地。众僧益骇异。再折之，亦然。以至筊筊皆如之。

众僧乃明灯细视，筊中非水，皆精也。湛然见之，悔悟惊惧，不能自制。于是，悉就焚之，扬灰于湖。湛然急以良剂调治，久之得平。而祟自此灭矣！

评曰：异怪弄人，数固当灭，而少僧幸免，人亦可鉴。

卷八　天缘奇遇（上）

　　祁羽狄，字子犕，吴中杰士也。美姿容，性聪敏，八岁能属文，十岁识诗律，弱冠时每以李白自期，落落不与俗辈伍，独有志于翰林。每叹曰："乌台青琐，岂若金马玉堂耶！"下笔有千言，不待思索。诗歌词赋，奇妙绝倒。且善钟王书法，又粗知丹青。时人目为才子，多欲以女妻之，皆不应。其姑适廉尚，督府参军也。姑早亡，继岑氏，生三女，皆殊色。长曰玉胜，次曰丽贞，三曰毓秀，随父任所，皆未适人。尚以衰老，乞骸骨归。时生以父爱，家居寂寥，郁郁不快。或散步寻诗，寄身林壑，或操舟访隐，傍水徘徊。

　　一日，与苍头溜儿入市，见一妇人，年二十余，修容雅淡，清芬逼人，立疏帘下，以目凝觑生。生动心，密访之，乃吴氏，名妙娘，颇有外遇。生命溜儿取金凤钗二股，托其邻妪馈之，妙娘有难色。妪利生之谢，固强之。妙娘曰："妾觑此郎果妙人也。但吾夫甚严，今幸少出，但一宿则可，久寓此，不宜也。"生闻之，即潜入，相持甚欢，极尽款曲。即枕上吟曰：

"深深帘下偶相逢，转眼相思一夜通。春色满衾香力倦，瘦容应怯五更风。"

妙娘曰："妾亦粗知文墨，敢以吴歌和之：

别郎何日再相逢，有时常寄便时风。一夜恩情深似海，只恐巫山路不通。

歌罢，天色将曙，闻外扣门声急。妙娘曰："吾夫回矣。"与生急拥衣而起，开后门，求庇于邻人陆用。用素与妙娘厚，遂匿之。

用之妻，周氏也，小字山茶，见生丰采，欲私之，生应命焉。茶曰："吾主母徐氏新寡，体态雅媚，殊似玉人，坐卧一小楼，焚香礼佛，守法甚严，但临风对月，多有怨态，知其心未灰也。妾以计使君乱之，可以尽得其私蓄。"生谢曰："乱人之守，不仁；冀人之财，不义；本以脱难而又欲蹈险，不智。卿之雅情，心领而已。"言未毕，一少女驰至，年十三四，粉黛轻盈，连声呼茶。见生在，即避入。生问："此女何人？"茶曰："主母之女文娥也。"生曰："纳聘否？"曰："未也。"

文娥入，以生达其母。母即自来呼之，且自窗外窥生。见生与茶狎戏，风致飘然，密呼茶，问曰："此人何来？"茶欲动之，乃乘机应曰："此吴妙娘心上人也。今碍有夫在，少候于此。"徐氏停眸不言久之。茶复曰：

"此人旖旎洒落，玉琢情怀，穷古绝今，世不多见。"徐氏佯怒曰："汝与此人素无一面，便与亵狎，外人知之，岂不遗累于我！"山茶亦佯作愠状，对曰："妾但不敢言耳。言之，恐主母见罪。"徐氏诘其故。山茶曰："此人近丧偶，云主母约彼前来偕老。"徐氏惊曰："此言何来？"茶曰："彼言之，妾信之。不然则主公所遗玉扇坠，何由至彼手乎？"徐氏即探衣笥中，果失不见，徘徊无聊又久之。山茶知其意，即报生曰："娘子多上复：谨持玉扇坠一事，约君少叙，如不弃，当酬以百金。"生揣："事由于彼，非我之罪也。"乃许之。——盖徐氏三日前理衣匣，偶遗扇坠于外，为山茶所获。至是，即以此两下激成，欲俟其处久而执之，以为挟诈之计耳。

近晚，生登楼，与徐氏通焉。缱绻后，徐氏问曰："扇坠从何来？"生曰："卿之所赐，何佯问也？"徐氏曰："妾未尝赠君，适山茶谓君从外得者，妾以为然，故与君一叙。今乃知山茶计也。"徐氏悔不及，明早果以百金赠生行。生留一词以别之，名《惜春飞》：

> 乘醉蜂迷莺不语，只是妙娘为主。玉坠凭谁取，又成红叶偕鸳侣。　两地风流知几许，自喜连遭奇遇。愁对伤处，何时得共枕，重相叙。

徐氏恨山茶卖己，每以事让之。茶不能堪，遂发其私。徐氏无子而富，族中争嗣，因山茶实其奸，鸣之于官。官受

嗣者贿，竟枉法成案。徐氏以淫逐出，文娥以奸生女官卖，徐氏耻而自缢。生闻之，不胜伤痛，作挽歌以吊之曰：

胡天不德兮，殀我淑人。情轻一死兮，我重千金。花残月缺兮，玉碎珠沉。俾生长夜兮，梦断芳春。遭此仇兮，何所伸。欲排云前代诉兮，奈力寡而未能。心耿耿兮思素恩，神恍惚兮怀旧迹。泪潜潜兮滴翠巾，愁郁郁兮欲断魂。千回万转兮，痛我芳灵。灵其有知兮，鉴我微忱！

生且泣且歌，不胜哽咽，乃散步林外，少放闷怀。不意新月印溪，晴烟散野，泉声应谷，树影坠地，生乃还步，踽踽独行，凄惨愈切。忽闻后有环佩声，生回顾，见一女子冉冉而来；后随有女童，一掌扇，一执巾。生以为良家子也，意欲趋避。乃遥呼曰："祁生何为避耶？"生疑为如戚，进步迎揖。然芳容奇冶，光彩袭人。生惊讶，

中国古典小说十大禁书

未遑启问，女即曰："妾玉香仙子也。朝游蓬岛，暮归广寒，拂扇则风行千里，挥巾则云幔九霄，非俗女也。因与君有尘缘，到此一相会耳。"生闻其言，疑为鬼魅，不敢近，但唯唯求退而已。女笑曰："妾乃不如徐氏耶？君子日后奇遇甚多，徐氏不足惜也。"即携生手，同还生家。生闻其香气清淑，爱其纤指温润，亦不甚怪。然而夜深人静，重门自开，灯灭帘重，明辉满室，生虽疑，不能却矣。与之共枕，颇觉绸缪。至五更，二女童报曰："紫微登垣，壬申候驾。"女即整衣而起，与生别曰："后六十年，君之姻缘共聚，富贵双全，妾复来，与君同归仙府矣。赠玉簪一根，扣之，则有厄即解；小诗一首，读之，则终身可知。"言毕，凌空而去。生望之，但见云霓五彩，鸾鹤翩翔，生始信其为仙也。即视其诗，乃五言一律：

> 君是百花魁，相逢玉镜台。芳春随处合，黍
> 夜几番灾。龙府生佳配，天朝赐妙才。功名还寿
> 考，九九妾重来。

生与玉香方合，精采倍常，颖悟顿速，衣服枕席，异香郁然。人皆疑其变格，而不知生所自也。

时廉参军致仕归，泊船河下，闻文娥官卖，即以金偿官，买与次女丽贞为婢。是日，生至讲堂，适闻廉归，惊曰："此吾至亲，别十年矣。"即趋谒。廉闻生至，急请入，各以久疏慰问。廉尚曰："尊翁捐馆，幸有子在。况

子英发士也，但愿早遂青云，以慰尊翁之志。"生谦谢久之。廉呼岑氏出，且曰："祁三哥在此，非外人也。"岑氏谓三女曰："三哥有兄弟情，可随我见之。"惟丽贞辞以"晓起采茉莉花冒风，不快。"岑氏与玉胜、毓秀出见。生拜问起居，礼貌修整。岑见生闲雅，念："得婿若此人，吾女何恨？"而胜与秀亦熟视生。生目玉胜妆艳，毓秀丰美，亦觉戚戚焉。廉问："丽贞何在？"岑曰："不快。"廉曰："一别十年，今各长成，宁不一识面耶？"命侍女素兰催之，不至。再命东儿让之，丽贞不得已，敛发而出。但见云鬟半蓬，玉容万媚，金莲窄窄，睡态迟迟。生立俟之，自远而近，停眸一觑，魂魄荡然。相揖后，以序坐。岑以家事诘生，生心已属丽贞，惟唯唯而已。顷间，茶至。捧茶者，文娥也。生见文娥，文娥目生，两相疑喜。茶后，继之以饭，岑与三女皆在座。岑曰："三哥不弃，肯时来一顾乎？"廉曰："吾欲以家事托子辖，子辖宁即去耶？"三女皆赞之。而丽贞又曰："三哥倘以家远不便，凡有所需，一切取之于妹。"生以丽贞之言深为有情，即以久住许之。

是夕，寄宿东楼。生开窗对月，惆怅无聊，乃浩歌一绝以自遣云：

天上无心月色明，人间有意美人声。所需一切皆相取，欲取些儿枕上情。

生所歌，盖思丽贞"一切取于妹"之言也。歌罢，见壁间有琴，取而抚之，作司马相如《凤求凰》之曲。不意风顺帘间，楼高夜迥，而琴声已凄然入丽贞耳矣。丽贞心动，密呼小卿，私馈生苦茶。生无聊间，见小卿至，知丽贞之情，狂喜不能自制，竟挽小卿之裙，戏曰："客中人浼汝解怀，即当厚谢。"小卿拒，不能脱，欲出声，又恐累丽贞；久之，小卿知不可解，佯问曰："小姐辈侍妾多矣，倘舍妾，惟君所欲，何如？"生亦知其执意，乃难之曰："必得桂红，方可赎汝。"桂红，乃玉胜婢。小卿曰："桂红为胜姐责遣，独睡于迎翠轩，咫尺可得。"

生与小卿挽颈而行，果一女睡轩下。生以为桂红矣，舍小卿而就之，乃惊醒。非桂红，乃素兰也。兰在诸婢中最年长，玉胜命掌绣工。一婢拙于绣，迁怒于兰，责而逐之，不容内寝，怨恨之态，形于梦寐，适见生至，怪而问曰："君何以至此也？"生不答，但狎之。兰始亦推阻，既而叹曰："胜姐已弃妾，妾尚何守！"遂纳焉。生亦风流有情，而兰亦年长有味，鸳衾颠倒，不啻胶漆。生密问曰："丽贞姐如何？"兰曰："天上人也。"曰："可动乎？"曰："读书守礼，不可动也。且君兄妹，何起此心？"生愧而抱曰："对知心人言，不觉吐露心腹。"既而问："桂红与谁同寝？"兰曰："桂红，胜姐之爱婢也。此人聪慧，与文娥同学笔砚，今君以情钩之，亦可狎者。"生甚喜，至天明就外，作一词以纪其胜：

素兰花，桂红树，迎翠轩中，错被春留住。乖巧小卿机不露，借风邀雨，脱壳金蝉去。一杯茶，咫尺路，却似羊肠，又把车轮误。且向桂花红处吐，攀取高枝，再转登云步。

（右调名《苏幕遮》）

生早与素兰别时，天尚未明，偶遗汗巾一条，内包玉扇坠并吊徐氏词。小卿来唤素兰，见而拾之，私示文娥曰："此祁生物也。"文娥观词，不觉泪下。丽贞理妆，呼文娥代点鬓翠。文娥至，则秋波红晕，凄苦蹙容。贞怪而问之。娥不能隐，以实告曰："吾母死，皆为祁生。今见其吊母词，是以不觉泪流。"丽贞索词观之，叹曰："真才子也。"取笔批其稿尾：

措词不繁，著意更切。愁牵云梦，宛然一段相思；笔弄风情，说尽百年长恨。诚锦心绣口，可爱可钦；必金马玉堂，斯人斯职。然而月宫甚近，何无志于姮娥？乃与地府通忱，实有功于才子。

其所批者，微其锐志功名，弗劳他虑；即令文娥持送还生。——时廉有族中毕姻，夫妇皆往。——生见文娥独来，携而叹曰："儿何以至此耶？"娥惟嗟叹，道其所以，乃出扇坠、吊词还生。生曰："汝从何得之？"娥曰："小卿自迎翠轩得之。今丽贞姐使妾奉还。"生且愧且谢。既而，见所批，又惊又喜，叹曰："世间有此女子，羞杀孙夫人、李易安、朱淑贞辈矣。"读至末句，叹曰："吾妹真姮娥也，仆岂无志耶！"送以末联为有意于己，乃以白纱苏合香囊上题诗一首，托文娥复之：

> 聊赠合香囊，殷勤谢赞扬。吊词知恨短，批稿辱情长。愧我多春兴，怜卿惜晚妆。月宫云路稳，愿早伴霓裳。

丽贞见诗大怒，挞文娥；待父母归，欲以此囊白之。毓秀知之，恐玷闺教，使二亲受气，急令潘英报生。时英年十七，亦老成矣，虑生激出他变，缓词报曰："秀姐知君有诗囊送入，甚是不足，乞入亲谢之。"生笑曰："秀妹年幼，亦知此味耶？"牵衣而入。秀以待于中门，以故告生。生惊曰："何异所批！"秀曰："彼儆君耳，非有私也。"生茫然自失。秀曰："玉腥姐每爱兄，与妾道及，必致嗟叹；今在西鹤楼，可同往问计。"生含愧而进。玉胜见生，远迎，曰："三哥为何至此？"秀顾生，笑曰："欲坐登云客，先为入幕宾矣。"胜问其故。秀曰："兄有'月宫云路稳，愿早伴霓裳'之句，遗于丽贞姐。贞姐怒，欲白于二亲。今奈之何？"玉胜笑曰："妾谓兄君子人，乃落魄子耶？请暂憩此，妾当为兄解围。"即与秀往贞所。

贞方抱怒伏枕，胜徐问曰："何清睡耶？"贞乃泣曰："妹子年十七，未尝一出闺门。今受人淫词，不死何为！"胜与秀皆曰："词今安在？"贞不知胜为生作说客，即袖中以诗囊卷出。胜接手，即乱扯。贞怒，起夺之，已碎矣。贞益怒。胜曰："三哥，才子也。妹欲败其德，宁不自顾耶？"因举手为丽贞枕花，低语曰："三哥害羞，适欲自经。送人性命，非细事也。"贞始气平。胜乃回顾素兰，曰："可急报三哥，贞妹已受劝矣。"

兰往，见生徘徊独立，而桂红坐绣于旁，亦不之顾，乃以劝贞事报生。生喜而谢之。兰挽生，曰："妾原谓此人不可动，君何不听？"又背指红，曰："可动者，此也。为君洗惭可乎？"生又谢之。兰附红耳曰："祁生反有意于子，今其惭忿时，少与款曲，何如？"桂红张目一视而走。兰追执之，骂曰："我教汝绣，汝不能，则累我。我一言，即逆我。汝前日将胜姐金钗失去，彼尚不知，汝逆我，我即告出，汝能安乎？若能依我，与祁生一会，即偿前钗，不亦美乎？"桂红低首无言，以指拂鬓而已。兰抚生背，曰："君早为之，妾下楼为君伺察耳目。"生抱红于重茵上，逡巡畏缩，生勉强为之，不觉鬓翠斜敧，猩红满裓。

兰下楼，因中门上双燕争巢堕地，进步观之，不意胜、秀已至前矣。兰不得已，侍立在旁，尊胜、秀前行。生闻楼上行声，以为兰也，尚搂红睡；回顾视之，乃胜与秀。生大惭。胜大怒，即生前将红重责，因抑生曰："兄才露丑，今又若此，岂人心耶！"生措身无地，冒羞而出。无奈，乃为归计。

明日，见廉夫妇，告曰："久别舍下，即欲暂归。"廉夫妇固留之。生固辞。乃约曰："子辄必欲归，不敢强矣。待老夫贱旦，再劳枉顾，幸甚！"生谨领而别。途中无聊，自述一首：

> 洛阳相府春如锦，乱束名花夜为枕。弄琴招得小卿来，迎翠先同素兰寝。文娥痛而哭吊词，丽贞题笔一赞之。牵惹新魂发新句，转眼生嗔欲白之。绝处逢生得毓秀，恐玷闺门急相救。潘英邀我中门侍，西鹤楼前惭掩袖。玉胜频呼入幕宾，相迎一笑问郎因。郎须少倚南楼坐，此去因先慰丽贞。丽贞见妹欢情复，桂红巧绣娇如玉。素兰观燕往中门，胜、秀登楼皆受辱。一场藉藉复一场，两处相思两断肠。春光漏尽归途寂，何日同栖双凤凰？

丽贞小字阿凤，故末句及之。

生去后，三女皆在百花亭看杜鹃花，东儿报曰："祁君去矣。"胜与秀相对微笑，丽贞独有忧色，停眸视花，吁叹良久，无非念生意也。玉胜不知，问曰："妹子尚恨祁生耶？祁生果薄幸，昨触妹，又辱桂红。被污之女，不可近身，已托邻母作媒出卖矣。"贞曰："彼辱妹，姊尚容之；彼辱婢，姊乃不容耶？"玉胜语塞。盖胜久欲私生，惟恐二妹忌之，又恨桂红先接之也。

贞是夕凭栏对月，幽恨万种，乃制一词，名曰《阮郎归》，自诉念生之情，每歌一句，则长吁一声。文娥等侍侧，皆为之唏嘘：

> 闻郎去后泪先垂，愁云欺瘦眉。情深须用待佳期，郎心不耐迟。　　香闺静，寄新诗，眼前人易知。寸心相爱反相离，此情郎慢思。

生归，不数日，为仇家萧鹤者所诬，发生父未结之事。鹤以官豪，捕生甚急。生夜渡，欲往诉当道，为守渡者所觉，执送萧氏。萧层堂叠室，将生禁后房，待事中人至，即送官理。生夜静忿郁，无以自慰，忽忆仙子"玉簪解厄"之言，乃祷拜，吟一词：

> "撼天长恨几时休？两眼不胜羞。男儿壮年多困忧，何日一抬头？　　辙中鲋，雨中鸠，望

谁周？横铺铁网，高展金丸，毕何仇？"（《诉衷情》）

萧之妇，余氏也，乃世家女，名金园。其夫名震，往京听选。金园独居，闻户后歌声悲切，明早，使侍女琴娘访之，始知生故，叹曰："与父有仇，子复何罪？"私遣琴娘以甘露饼十枚馈生。生谢曰："此活命恩也，他日当衔环以报。"自后，琴娘时以饮食饷生，生媚意敛谢。琴娘悦之，因与之私，复乘间语金园曰："此生温如良玉，十倍吾主，今禁此，情甚可哀。"琴娘意欲释之。金园曰："昨亦梦神女命救此人，且云他日与汝皆当为彼侍妾，纵无此理，甚可疑也。"遂往窥之，果见生丰姿颖异，气宇温容。抵夜，以别钥启锁，匿入闺中，共枕恣欲。五更时，赠以白金十两，金钏一双，汗巾一条，与琴娘暗开重门，泣而送之，且以梦语生。生曰："岂敢望此！仆有玉扇坠，今以赠卿，日后果有幸会，当以此为记。"遂拜谢而去。

翌日，萧觅生，生已行矣。竟走京师，伏阙奏辩，为父雪仇。时赵子昂为翰林学士承旨，力赞生孝，得发御史观音保等勘问。萧惧，出万金营求左丞相铁木迭儿为之解纷息事，然亦不敢害生矣。

生由是避祸入山，发愤攻书。山下有名龚寿者，年六十，善相法，见生状，知其不凡也，每以柴米给生，相过甚厚。生感以恩，乃书一联于壁云：

远移萍梗宜无地，近就芝兰别有天。

又书一联以自做云：

身居逆境时勤读，心到仇家夜梦亲。

生去后，丽贞虽念生，不过形于咏叹而已。

而玉胜则慕生之甚，言动如狂。每强扶倦态，对镜画眉，不觉长吁一声，两手如坠。日就枕席，饮食若忘，梦中忽忽如对人语，及醒，则挥泪满床而已。闻贞有《阮郎归》调，令素兰索之，贞不与，胜知其必为生作也，亦自作一调，名《桃源忆故人》，亦道望生之意：

思思念念风流种，心为愁深如梦。绣衾象床如共，差把寒衾拥。　桂红楼上春心动，悔已多情残送。却笑自家愁重，番作巫山梦。

廉至旦日，遣人邀生，知生受诬奏辩，嗟叹久之。及生入山读书，廉遣人送白金五两，白米六包，与生少资日用。玉胜自忖曰："祁生发愤，招之则不来，然其意惟在丽贞，诈招以贞书，或得一面。"乃具书，私付去人，且戒之曰："此丽贞书，密与之。"

　　小妹丽贞敛衽端肃拜：畴昔之心，岂敢自昧；掷诗之忿，实惧人知。月色空梁，不见知心到眼；风声泣树，徒知弱态伤神。近知往复大仇，识英才之可羡；今又入山愤志，知力学之有成。但情在寸心，终难自慰；人遥千里，岂易相通！满目云山，何处是凤凰栖止；一天星斗，几时成牛女欢期？顷刻相思，须更长欢。倘兄肯顾片时，小妹终身佩德。匆匆草字欠恭，伏乞情恕。不备。

妹贞再拜启

生得书，惊喜雀跃。然发愤之始，义不可行；欲复书，又恐廉知，但私寄曰："为我多多附谢小姐，书已领教矣。"生是日旧态复萌，几不自制，大书绝句于壁：

　　海样相思思更深，一封珍宝抵千金。书中总有颜如玉，未必如渠满我心。

一日，龚老访生，见壁上绝句，问曰："君有所思乎？

读书之心，如明镜止水，倘有所思，则芥蒂多矣，安能有成？"祁生不觉汗颜。龚复慰曰："少年人多有此弊，况君未娶，宜不免此。老夫相君目秀眉清，天庭高耸，必享大贵。倘不弃，老夫有一小女，名道芳，颇端重寡言，亦宜大福，他日愿为箕帚，何如？"生愧谢不已。

是岁，生起小考，补郡庠弟子员。

后数日，生整衣冠，往拜廉。廉一家慰贺。三女出见，皆曰："恭喜！"即宴生于怡庆堂，笙歌交作，酬酢叠行。至晚，银烛满堂，侍女环立，廉夫妇已醺，而生犹未醉。岑命三女以次奉生酒。玉胜举杯近生，语云："妾有言，幸君弗醉。"盖欲私生也。生不知，应曰："已酩酊矣。"丽贞举杯戏生曰："新秀才请酒。"生亦笑曰："何不道新郎饮酒？"贞愧而退，怒形于色。毓秀见贞不悦，及举杯奉生，乃曰："兄何以言，使贞姐含怒？"盖生以前所寄书有情，故量其易而忽之，不知其为玉胜计也。夜深散罢，生被酒，寝外馆。胜自往呼之，生不醒。胜恐馆童来觅，长吁而返，闷倚银钉，形影相吊，口占一词，且泣且诉：

何事无情贪睡，席上分明留意。指日望郎来，要说许多心事。沉醉，沉醉，不管断肠流泪。（调名《如梦令》）

生明早入谢酒，廉夫妇未起，独丽贞立檐前喂鹦鹉，亦未理妆。生前，戏曰："蒙见召，今至矣。"丽贞默然。生曰："何其不践书中之言乎？"贞曰："妾未曾有书，兄何诈也？"生出书示之，乃玉胜之笔。贞大怒。生见贞不梳不洗，雅淡轻盈，清标天趣，如玉一枝，因笑解其怒，而突前抱曰："纵非子书，天缘在矣。"时生精魄摇荡，心胆益狂，盖欲一近贞香，而死亦自快也。贞力挣不能脱，乃定气告曰："妾非无心者，但兄妹不宜有此。况兄未有妻，妾未受聘，何不一通媒妁，偕老百年，非良便乎？"适鹦鹉见生将贞抱扭，作人声詈曰："姐姐打，姐姐打！"其声甚急，生恐人至，脱贞而出。

　　然生之入也，玉胜乘人未起，早就生寝，欲了此念。见生不在，即为诗一首以示之：

　　　　深院春风急，吹花入翰林。无缘空去也，留此寄知音。

玉胜留诗而出，过中门，闻竹步声，遥视之，即生也。以手招生，生急至。胜曰："无情郎从何来？"生以丽贞寄书事告胜。胜曰："实妾为之，非贞也。"即邀生同入含春庭后，就大理石床解衣交颈，水渗桃花，并枕颠鸾，风摇玉树，香滴滴露滋金盖，思昏昏骨透灵酥。

　　时红日渐高，毓秀已起，恐生苦宿酒，令东儿馈生以茶。东儿至生馆，但见一诗在几，寂无人迹。东儿取诗还报曰："祁生不知何往，但见几上此纸耳。"秀观之，叹曰："胜姐作不规矣。"

时生与胜交散，各喜不为人知。胜理妆后作一词以纪其乐云：

> 风动花心春早起。亭后空床，一枕鸳鸯睡。归到兰房妆倦洗，几回又掬相思水。　　但愿风流长到底。莫使人知，都在心儿里。郎至香闺非远地，幸郎早办通宵计。（《蝶恋花》）

胜以词使素兰寄生，且嘱生将几上诗毁之。生见词甚喜，然几上诗未之有也。生语兰曰："向曾许桂红，代偿金钏一双。"并和前词，以复胜：

> 蝶醉花心飞不起。转过春亭，又把花枝睡。昔因采桂羞难洗，归家掬尽相思水。　　今日好花开到底。苦尽甘来，尽在心儿里。又愿春光同两地，胜如云路平生计。

兰笑曰："'春光两地'，君得陇又望蜀耶？"生曰："非子不能知此趣也。"兰复胜，胜以为几上诗生匿之矣。

不意毓秀以诗示丽贞，贞亦以胜假书之故告秀。二人谋，欲露之。丽贞又念败生之德，不复在坐，欲行欲止，持于两疑。秀曰："今母昼寝，以书置母枕旁，母起见之，但知姊之私荡耳，不复知我计也。况纸上又无称号，亦岂累祁生耶?"丽贞曰:"善。"秀往置之，立候母醒。文娥窃知秀事，私达于生。生曰:"事急矣!"入告于胜。胜曰:"秀立床前，何以窃之?"生曰:"秀之所为，贞使之也。文娥，则贞好也，托文娥以贞命呼秀，秀必出矣。今先使素兰隐于门后，俟秀出，兰即入取之。"胜曰:"计虽妙，奈文娥不肯何!"生曰:"娥之母，我故人也。彼念其母，必肯念我。"呼文娥语之，果如命诣秀，曰:"贞姐有言，急请一面。"秀出见贞，贞亦昼寝;秀急候母，诗已去矣。秀以文娥诱之，使贞责之。文娥惧，乘夜而逃，不知所之。玉胜得诗而恨二妹之共计也，作《风雨恨》一篇，以记其怒:

风何狂，雨何骤，妒花不管花枝瘦。花瘦亦何妨，深嗟风雨忙。风不歇，雨不竭，同枝花，自摇折。幸得东皇巧护遮，风风雨雨曲栏斜。花枝不放春光漏，依旧清香到碧纱。

一日，丽贞在碧云轩独坐凭栏，放声长叹。生自外执荷花一枝过轩，

见贞长叹，缓步踵其后。贞低首微诵曰："本待将心托明月，谁知明月照沟渠！"生轻抚其背，曰："明月是谁？"贞惊，起拜，遮以别言，但问曰："此花何来？"生曰："自碧波深处，爱其清香万种，故下手采之。"贞曰："兄但能摘水中花耳。如天上碧桃，日中红杏，不与兄矣。"生曰："碧桃、红杏，恨未开耳。倘香心少放，敢不效蜂蝶凭虚向花间一饱耶？"贞曰："饱则饱矣，但恐饱后忘花耳。"生以荷花掷地，誓曰："如有所忘，即如此花横地。"贞含笑以手拾花，戏曰："映月荷花，自有别样红矣。兄何弃之？"正谈笑间，玉胜自门后见之，欲坏丽贞，报母曰："碧云轩甚有风，娘可往坐。"岑至轩，见生与贞笑语迎戏，乃发声大怒。自是，贞不复出，生亦远避西园矣。

生依依此情，每日入梦寐之态，形之于诗：

> 长夜如年客里身，短衾消尽枕边春。晴江寂寞无心月，乡梦流连得意人。几度觉来浑不见，却才眠去又相亲。空亲恍惚非真会，赢得相思泪满巾。

又五言一绝，又梦丽贞所作也：

> 闲题心上事，空忆梦中人。哪得温如玉，殷勤一抱春。

胜既败贞，尤不能忘秀也，乃诱秀曰："西园莲实茂盛，妹肯往一采乎？"秀未老成，乐于游戏，即欲往。胜曰："妹与东儿先往，我收拾针线即来。"秀果先去。胜度秀与生会，不免接谈，乃告其母曰："秀往采莲，乞令人一看。"岑每溺爱秀，闻秀出，即呼丽贞，同往西园。及至，见生与秀共拍一蝶，奔驰谑笑；生将得蝶，秀与东儿就生共夺之。岑骂曰："此岂儿女事耶！"生大惭，知岑必见疑，乃告归。

秀见贞随母，以为贞计也，甚恨之，反诉于玉胜。胜以为得计，复执之，秀深信矣。自是，秀以心腹待胜，事事皆胜听矣。

胜是夜招生共寝，生以屡败，不敢往，以诗别之：

花开漏尽十分春，更有何颜见玉人？明明马

蹄谁是伴，野桥流水闷愁云。

胜得诗，知生决行，以玉臂一副、簪一根、琴一囊、锦一匹，并和生诗以赠之：

> 细雨斜风促去春，有情人送有情人。偷闲须办来时计，莫使红妆盼白云。

生回，虽感胜厚情，尤以丽贞为念，心甚怏怏。居家无聊，饮食俱废，临风对月，凄惨不胜。有一友，姓霍，名希贤。见生不快，扯生往妓家一乐。妓者王琼仙，生旧人也，见生至，甚喜，戏曰："贵人郑重，何人不求？"生不答。琼仙又叩之，生唯唯而已，虽樽俎间琼仙以百计挑之，生但低首吟哦，情思恍惚。琼仙固留生宿，生不得已，应之。枕席间，生毫不措意。琼仙欲动其心，夜半呼义妹等，并作一床，恣意承顺。生虽云雨，意自茫然。琼仙曰："君似有心事，何不对妾一言？"生告以丽贞未就之故。琼仙曰："非廉氏阿凤乎？"生曰："何以知之？"曰："昨在竹副使家侍宴，有一客欲为竹公子作媒，是以知之。今君遇此，妾等不敢近矣。"生曰："廉有三女，长女未受聘，何先及次女？"曰："必欲求之，多在长女。"言未毕，溜儿驰报曰："宗师案临，宜往就试。"

生归，即赴试。廉知之，遣人馈贶。三女皆私有所赠。生登领，作词分谢之。词名《画堂春》，谢廉尚参军：

孤身常托旧门墙，此恩海样难量。又须丰赆
实行囊，书剑生光。　　深夏暂违颜范，新秋便
揖华堂，时来倘试绿罗裳，展草垂缰。

谢玉胜词，名曰《玉楼春》：

含春笑解香罗结，相思只恐旁人说。腰肢轻
展血倾衣，朱唇私语香生舌。　　无端又为功名
别，几回梦转肝肠裂。嘱卿休作倚门妆，新秋共
泛归舟月。

谢丽贞词，名曰《小重山》：

杨柳垂帘绿正浓。碧去轩内，情语喁喁。玉
人长叹倚栏东。知音语，惹动芰荷风。　　猛地
见慈容。总然多好意，也成空。相思今隔小山
重。承佳觌，尽在不言中。

谢毓秀词，名曰《卜算子》：

惜别似伤春，春住人难住。蝴蝶纷纷最恼
人，总把春推去。记取碧苔阴，胜似青云路。愁

压行边忆心人，未走先回顾。

生择日与溜儿就程。行至中途，天色已晚，寄宿一旅中。溜儿先睡，生温习经书。夜分时，闻隔墙啼泣悲切；四鼓后，闻启门声。生疑，先潜出俟之，见一女子，年可十五六，掩泪而行。生尾之。至河上，其女举身赴水。生执之，叩其故。女曰："妾家本陆氏，小字娇元，为继母所逼，控诉无门，惟死而已。"言罢，又欲赴水。生解之曰："芳年淑女，何自苦如此！吾劝若母，当归自爱。"女曰："如不死，有逃而已。"生怜之，欲与俱去。但溜儿在本家，欲还呼之。女曰："一还则事泄矣，则妾不可救矣。顾此失彼，理之常也，愿君速行。"生见其哀苦迫遽，乃弃溜儿，与女僦一小舟，从小路而行。

一日，天色将晚，舟人曰："天黑路生，不宜前往。"生从之。停舟芦沙中，与女互衣而寝，情若不禁，生委曲慰之。女曰："妾避死从君，此身已玷，幸勿以淫奔待之，庶得终身所托矣。"生指天日为誓。女喜，作诗谢之：

> 啼愁欲赴水晶宫，天遣多情午夜逢。枕上许言如不改，愿公一举到三公。

吟毕，生方欲和韵，女侧耳闻船后磨斧声急，与生听之，惊起。问曰："磨斧为何？"舟人应曰："汝只身何人？乃拐人女子。天使我诛汝。"盖舟人爱娇元之美，欲诛生以夺之也。生惊怖，计无所出。乃舟人已有持斧向生状。生跃入水，口呼："救命！"忽芦丛旁有人应声而起，即以长竿挽生之发救之。生不得死。舟人见生救起，随弃舟下水逃去。而娇元亦无恙，反得一舟矣。

二舟相并，举火问名。舟中有一妇，问曰："君非祁生乎？"生曰："何以知之？"妇出舟相见，乃吴妙娘也。妙娘丧夫，改适一巨商，商与妙娘载货过湖，亦宿于此。商问妙娘曰："汝何识祁？"妙娘曰："亲也。"商以为真，遂相款焉。

明早，妙娘私馈生白金一锭，生谢别。然不能操舟，与娇元坐帆下，惟风之所之。行一日，止十余里。

近晚，泊湖上。娇元方淅米为餐，岸上忽呼曰："死奴！至此耶？"生起而视之，乃昨逃去舟人也。生知不免，即跳岸疾驰，几为追及。舟人尾生终日，饥不能前，故得免焉。

生纵步忙投，不知所之。遥见一丛林，急投之，乃道院也。生扣门入，见一道姑，挑白莲灯迎问所自来。生具述其故。道姑曰："此女院，恐不便。"生曰："殿宇下少憩，明早即行。"既而，又一青衣至，附耳曰："此生颇飘逸，半夜留之，人无知者。"道姑怃然，乃曰："先生请进内坐。"生进揖，问姓，道姑曰："下姓沙，法名宗净，年二十有七。"有道妹曰涵师，年二十有二，亦令见生。因与共坐，清气袭人，香风满席。生见涵师谈倾珠玉，笑落琼瑶，思欲自露其才，乃请曰："仆避难相投，自幸得所，皆神力也。欲作疏词，少陈庆扼，不亦可乎？"涵师曰："先生有速才能即构乎？"生曰："跪诵而已，如何构耶？"涵师喜，即引生拜于禅灯之下。生起焚香，应口而读，声如玉磬，清韵悠然：

伏以

乾坤大象，罗万籁以成一虚；日月重光，溥八方而回四序。尘中山立，去外花明。掷玄鹤于九天，遥迎圣驾；跨青牛于十岛，近拜仙旌。羽狄一介书生，五湖逸士。欲向金门射策，逆旅奇逢；谁知画舫无情，暴徒祸作。幸中流之得救，苦既迫而不追。四野云迷，一身无奈；两间局促，一死何辞。不意天启宿缘竟得路投胜院，清谈淡坐，出皓齿之素书。绿鬓挑灯，指黄冠之羽扇。俨乎仙境，恍若洞天。拘禁不祥，瞻仰日星之照耀。消磨多瘅，恭逢雅妙以周旋。谨拜清辞，上于天听。祈求禄佑，下护愚生。

读毕，师等赞曰："君奇才也。"因举酒酌赓，稍及
亵语。宗净举手托生腮曰："君虽男子，宛若妇人。"涵
师曰："夜深矣！"共起邀生同入共枕云雨，各自温存，
不惜精力。而涵师肌肤莹腻，风致尤高。自是昼以次陪
生，夜则连衾共寝。重门扃固，绝无人知。

生一夕月下步西墙，闻诵经声甚娇，乃吟诗以戏之
曰：

> 沙门清月水花多，读罢禅经夜几何？
> 娇舌强随空色转，其心皆作死灰磨。
> 玄机参透青莲偶，悔悟应和白苧歌。
> 却与维摩作相识，不怜墙外病东坡。

隔墙诵经者即文娥也。昔外出，入此庵为西院主兴锡
之弟。闻生吟诗，惊曰："此祁郎声也！何以至此。"追
思往事，不觉长吁，亦朗吟一诗以试之：

> 为君偷出枕边情，玉胜愁消毓秀嗔。
> 脱却红尘今到此，隔墙好似旧时人。

生闻诗甚疑。明早潜访之，见文娥，相持悲咽，各问
来历。生曰："仆累卿逃，不意又复见卿，真夙世缘也！"

文娥之师兴锡见生闲雅，悦而匿之。生过几日又到宗净处，西院羁留，乐而忘返。

不意溜儿为陆氏失女，执送于官。而生为色所迷，试期已过，不复他念。日与涵师等剧饮赋诗，不能尽述。姑记与兴锡等诗云：

苦海回头便是家，春惊铁树报琼花。
日光飞出尘中马，风力平收水底霞。
丹炉有烟终是火，蓝田无玉岂生芽。
从今涤髓留玄骨，不向玄门觅艳葩。
《题性绞斋壁》
不是凡民不是仙，壶中日月壶中天。
青山绿水皆为友，野鸟名花尽有缘。
林壑寄身闲似鹤，斋居养性莫如绞。
羽衣华发成潇洒，坐看芳溪放白莲。
《题宗净山房》
两两山离报好音，垒垒白石点疏林。
谷中鹿豕防人眼，壁上藤萝碍日阴。
无伴空悬徐孺榻，有香还抚伯牙琴。
冯渠海沸天雷发，净拂蒲园抱膝吟。

一日，两院道姑皆往一寡妇家作斋事，独留文娥伴生。生欲私之，娥曰："妾见众道姑日夜纵淫，唯妾居此甚苦。得君带归，敢惜一共枕耶？"生曰："我在此甚无益，思归亦切矣！岂忍弃卿？"因搂娥，撤其衣，举身就之。时文娥年十七，一近一避，畏如见敌，十生九死，痛欲消魂，不觉雨润菩提，花飞法界。事毕，生曰："卿他日肯为丽贞作媒乎？"娥曰："贞甚有情，况今年长，亦易乱之。君肯归，不必虑也！"自是，生与娥密为归计矣。

众姑自斋回，见生有归意，百计留之，无以悦生者。适有女童持礼来，揖众姑而去，生问何人，宗净曰："是前作斋事家使女金菊也。"生微笑。宗净疑生悦菊，即歆之曰："君肯安心寓此，当及其主母，况此婢耶？"生问

主母为谁，净曰："辛太守之妻陈氏也。年虽四十而貌甚少年，今寡居数月矣。今择本月十五日来院炷香，我辈当以酒醉之，强留宿院。睡熟时，君即近之。倘事谐，则太守有一妾名孔姬，亦以网跨下矣。"生如其言。

至十五日，陈果被酒，假宿院中。宗净以鸡子清轻轻污其便处，如受感状。陈觉醒之，

疑为男子所淫。开帐急呼金菊，不意菊亦被诱别寝。但见一灯在几，生笑而前。陈叹曰："妾欲守志终身，不意为人所诱。"生捧其面劝曰："青春不再，卿何自苦如此？"即解衣逼之，陈亦动情，竟纳焉。生多疲于色，而精力不长。陈久寡空房，而所欲未足。乃约生曰："妾夹间暗归，君可随我混入。"

生如其言，至陈家。孔姬尚睡中，陈欲并乱之，以杜其口，即枕前语曰："汝觉吾？我带一伴客相赠。"孔醒见主，即有怒状。陈以势压之，终不从。生与陈处，凡十余日，终亦碍孔，不得肆志。

乃昼，一春意于孔姬寝壁，因题一词以动之，名曰《鱼游春水》。

346

风流原无底，一着酥胸情更美。玉臂轻抬，不觉双俛起。展乱蔷薇锦一机，摇播杨柳丝千缕。好似江心鱼游春水。　你也危楼独倚，辜负红颜谁为主，徒然晓梦醒时，慵妆倦洗。玉箫长日闲，孤凤翠衾，终夜无鸳侣。这等凄凉，谁为羡你！

孔姬览之，心少动。一日，生与金菊昼淫于双柏轩，而菊之同辈皆就之。三女一男，争春似滚；四衣五形，展锦如毯。孔姬自帘后视之，情遂恍惚，不能自守，乃缓步进曰："郎君入花丛矣！"生曰："清自清，浊自浊，卿自守足矣，何阻人兴耶？"孔笑曰："妾请偿之可乎？"生曰："卿回心尚何论耶！"遂与通焉。生喜作一词以谢之，名《浣溪纱》：

> 独抱幽香不傲春，而今春色破梨云。算来清净总无真。
>
> 正做百花丛里客，却逢千想意中人，谨托新词当谢亲。

时宗净与涵师等谋曰："我辈欲留祁君，故以陈夫人悦之。今祁乃恋陈，不复顾我矣！为今之计，共往擒之。陈若掩争，必得其财。祁与彼绝，必来我院，不两利乎？"兴锡曰："祁君智士也。倘事泄先行，我辈空望矣。必先令一人，假宿于彼。我辈夜半围门，里通外应，无失算也。"众称善，欲择一人先往。娥乃进计曰："弟子与祁乡里，祁必不疑，弟子愿以抄化为名，入陈寝所，为众师内应。"师等信而遣之。文娥往见陈于萱寿堂，方与生并坐。文娥曰："久居于此，郎君乐乎？"复以眼私揆生。生乃舍陈等独步亭后，文娥尾生。告曰："今晚事坏矣！"生问其所以，娥告以故，且曰："妾与君急为归计，庶可自全。"生点首数次，计无所出。久之，往语陈曰："院中邀仆一茶，去当即来。"陈即使金菊随去，促之早还。生与娥、菊同就路，娥曰："夫人欲使郎早还，菊姐可先往，免使人生疑矣！"生知娥意，乃力赞之。菊信而先行，

347

娥乃挽生即从别路远循。菊至院，久候不至，乃返。师等为陈卖己，而陈又为院中潜谋，互相成隙，自易各相为谋矣。

卷八 天缘奇遇（下）

时祁生与文娥得脱归，即投廉宅。廉自溜儿成狱，知生路中失所，以为不相面矣，今复得见，而又见文娥，举家甚喜。及丽贞、秀出，争问："久寓何地？且何以得遇文娥？"生一一道其所以，众皆惊叹。及不见玉胜，生问其故，乃知嫁竹副使子矣。怅然久之。至晚就馆，百念到心，抚枕不寐，乃构一词，名曰《忆秦娥》：

> 空碌碌，春光到处人如玉。人如玉，旧时姻缘，何年再续？
> 阿凤犹自眉儿蹙，文娥已许通心腹。通心腹，几时消了，新愁万斛？

生晚睡起，才披衣坐床上，闻推门声，开帐视之，乃毓秀也。秀笑语生曰："胜姐多致意，出阁时肠断十回，魂消半晌，皆为兄也。有书留奉，约兄千万往彼一面。"生见秀窈窕，言语动人，恨衣服未完，不能下床，乃自床上索书。秀出书，近床与之。生即举手钩秀颈，求为接唇。秀力挣间，忽闻人声，始得脱去。生开缄视之，书曰：

兄去后，妾顷刻在怀。仰盼归期，再续旧好。不意秦晋通盟，相思愈急。故人千里，会晤无时。幸秀妹为妾心腹，劝妾且从亲命。妾尝亦劝秀善事吾兄，莫负少年。秀亦钟情者也。妾与兄枕边私爱，帐内温存，今皆已付秀矣。兄善为之，妾复何言。但此心常悬悬，欲得一面。兄无弃旧之心，妾有倚门之望。诚肯慨然再顾，突出寻常之万万也。

胜在家时，与秀为心腹，每以生风致委曲形容，秀必停眸拊胸，坐起如醉，惟以生不归为恨。及是，生得书，知胜之荐秀也，乃舍所遗珠翠，自进还秀，且以胜书示之。秀佯怒曰："我亦如胜姐耶！"撇生而去。

生无聊，往坐迎暄亭。天阴欲雪，寒气侵人。文娥过亭，见生嗟叹，以为慕丽贞也。正欲动问，贞早已至生后。生不知贞来，长叹一声，悲吟四句：

"风触愁人分外寒，潸然红泪湿栏杆。冻云阻尽相思路，梅骨萧萧瘦不堪。"

丽贞轻抚生背，曰："兄苦寒耶？"生惊顾，一揖，应曰："苦寒不妨，苦愁难忍耳。"贞因拉生共拥炉。生坐火前，以箸画灰，愁思可掬。贞佯问曰："兄思归耶？"曰："非也。"又笑而问曰："为那人不在耶？"生曰："眼前人尚如此，去人何暇计耶！"贞曰："妾未尝慢兄，兄何出此言！"生曰："仆每失言，卿即震怒，尚非慢乎？"贞笑曰："信有之，今不复然矣。"生曰："彼此有心，已非朝夕，千愁万恨，竟诒空言。今试期又将迫矣，一去再回，便隔数月，卿能保其不如玉胜之出阁乎？"贞低首不答。生因促膝近贞，恳其不言之故。贞叹曰："妾一见君，即有心矣，岂敢自昧？但恐鲜克有终，作一笑柄耳。"生长叹曰："事虑至此，终不谐矣。"适文娥自外执并蒂橘二枚进曰："二橘颇似有情。"生曰："有情不决，亦安用哉！"贞笑曰："决亦甚易，但恐根不固耳。"文娥知二人意，因谓曰："妾知贞姐与君思欲并蒂久矣，但君欲速成，贞恐终弃，是以久疑。妾今为二人决之。"谓："二人各出所有以订盟，作一长计，不亦可乎？"生曰："善。"即剪一指甲付贞，祝曰："指日成亲，百年相守。"贞乃剪发一缕付生，祝曰："青发付君，白头相守。"文娥曰：

"妾请为盟主。"因取橘分赠二人,祝曰:"决成连理,并蒂同春。然佳期即在今晚矣,有背盟者,妾当首出。"贞首肯之。

生喜而出,纵笔作一词,名曰《好事近》:

好事谢文娥,便把眼前为约。准备月明时,获取个通宵乐。

天生双橘蒂相连,唤醒相思魄。得到锦衾香处,把亲亲抱着。

生把笔间,适潘英持一盒至,云:"秀姐馈君金橘。生启盒,又见一诗:

甜脆柔姿渗齿香,数颗珍重赠祁郎。肯将此味心常记,愿付高枝过短墙。

生见诗,知秀亦有允意,惊喜过望。潘英索生和韵以复,生狂喜不能执笔。英促之,生曰:"诗兴不来,奈何?"英又促之,生曰:"汝为发兴,可乎?"英不答。生闭门,抱英入幕,狂兴一番,不觉过度。英曰:"来久矣,恐见疑。君既无诗,当自入谢之。"生有恍惚态,英苦促之,乃迎风而行。至秀所,秀已为母呼去矣。生又迎风而出,遂患寒热。又思赴约,愈觉憔悴,疾益加甚。

是夜,秀与贞各料生必来,两处皆待。明早,知生病，咸往视之。生咄咄不能言，惟流涕而已。贞、秀执生手，各悲咽不胜。贞伏生胸前，慰曰："天相吉人，兄当自愈。好事多磨，理固然也。"顷间，岑氏至，二女退。岑命以汤药治之，生少愈。廉知之，谓岑曰："子辖有恙，可移入迎翠轩便于调养。"

迎翠轩，益近二女寝所。一日，岑之父母庆寿，请岑并二女。岑以家事不能尽去，而生又养病内轩，无人调理，命秀掌家，与贞同去。生自是得秀温存，无所不至。生病十去八九。

一夕，以淫事戏秀。秀约曰："灯灭时，兄可就妾寝所，妾先睡俟之。"及秀将寝，愧心复萌，而又念生新愈，恐逆其愿，乃呼东儿诈睡己之床，且戒之曰："倘露机，汝即一死。"东儿从之。及生至，以为真秀也，款款轻轻，爱之如玉。生呼之，不应；以事语之，不答。生以其害羞，不疑。至早，求去，生挽之，且曰："举家无人，何必早起？"留之数四，天将明矣。生开帐视之，乃东儿也。生微微冷笑，东儿亦含笑而去。

生起，见秀，戏曰："卿非纪信，乃能诳楚。"秀谢罪不已。生曰："东儿作赠头可也，卿能免耶？"秀不答，惟曰："天寒，少坐可乎？"生曰："可。"秀命潘英治酒，与生对饮，每杯各饮其半，情兴甚浓。生以眼拨东儿出，东儿转手闭门而去。生抱秀，劝与之合。秀曰："待晚。"生曰："晚则又倩人耶？"半推半就，觉酒兴之愈浓；且畏且羞，苦春怀之无主。榴裙方卸，桃雨作斑。眼濛濛而玉股齐弯，魂飘飘而舌尖轻吐。秀思生病，加意护持；生恋秀娇，倾心颠倒。虽精神之有限，奈欲罢而不能。顷之，东儿至。生拂衣而起。东儿叹曰："今得新人而弃旧人耶？"生以东儿自谓也，乃谢曰："焉肯忘卿。"东儿曰："妾何足言，彼荐秀者，其可忘乎？"生曰："此玉胜之德也，铭心刻骨而已。"东儿曰："既不忘，曷不一顾？"生曰："来日即往矣。"

时岑与贞归，生又属望于贞。不意玉胜亦知生之在家也，令人以诗招之，且托秀促生必至：

> 一别流光已数年，相思日夜泪涟涟。新愁寂寞非嫌夜，旧事凄凉却恨天。罟网新丝蛛尚织，梁巢泥坠燕还联。谁知情重风流客，不管离人在眼前。

生见诗，即往拜谒。

时副使在任所，惟妻小在家。而副使之继妻颜氏，名松娘，妾王氏，名验红，皆以淫荡相尚。见生与玉胜会面时悲咽相对，情甚凄惨，乃谓胜曰："令表兄何必流涕？少留于此，与汝常得相见，不亦便乎。"胜喜，语生。生亦私喜，乃就寓于新翠轩。

近晚，一女童持玉环紫绦一事奉生，曰："妾，南薰也。奉主母松娘命，约君一叙。"生以亲故，不敢承命。南薰以绦作同心结，纳生袖而去。既而，又一婢女至，捧紫绫绢缀金剃牙赠生，曰："妾，金钱也。主之爱妾名验红，托为致意，君勿惊讶。"生曰："适松娘有命，奈何？"金钱曰："君今先往松娘，会后辞以避嫌，以就外宿。妾与验红谨候于此。"生如其言，登时潜入内寝。松娘已具酒饭于别室，邀生共坐，叙温存，杂谑浪，至夜分方就枕。生恐验红久待，力辞就外。松娘曰："一家以妾为主，何避之有？"着意留之，至鸡鸣时始得脱身。急投外寓，则验红已就内矣，惟金钱倦睡生榻，生问："验红何在？"金钱曰："久待不至，倦而返矣。"生怅然若有所失。然余兴未尽，抱金钱共枕。钱倦而含睡，解衣而贴席，任生所为。生乘其弱态，纵意猎之。钱瞑眼作娇媚声，唧唧若箫管，半晌乃平。复谓生曰："验红不足贵，松娘有女，年十七，真佳人也，名晓云。君何不图之？"生铭其言，天明散去。

时验红不遂所欲，乃寄一词以招之，名《隔浦莲》：

> 红兰相映翠葆，郎在香闺窈。云重遮娇月，巢深怨栖鸟。睡蝶迷幽草，频相告。鸳鸯同池沼，郎年少。通宵

不起，何故恁般颠倒？有约偏违幽兴，独捱清晓。今本望郎至，任他殷勤，即须撇了。

生得词，至晚会验红于外寓。松娘使人招生，生不至，知为验红所邀。自度色衰，不能胜红，乃集侍女南薰等十人，佩以兰麝，饰以珠玉，衣以锦绣，加以脂粉，宛然如花，纵欲纵淫，惟求快己。生沐其厚惠，欲其欢心，虽众婢同寝，而松娘必先徇其私，及松事罢，而众婢方共纵其欲。生于斯时不丧魂而为槁魄也，亦幸矣。

验红知生不能挽回，谋于金钱。钱曰："晓云虽处子，颇谙情趣，妾当以春心挑之，倘事谐，则母子争春，情自释矣。"红曰："善。"令金钱以计挑之。晓云每夜半窥其母之所为，亦颇动心，及红之挑，但含笑而已。

一日，晓云书一诗于几。红得之，喜曰："计在此矣。"

无端春色乱芳心，恍惚风流入梦深。泪渍枕边魂欲断，倩谁扶我见知音？

晓云学于玉胜，字迹颇相类。红得云之笔，即命金钱付生，促以成事。生方与松娘对坐抚琴，金钱促步近生，若听琴状。适松娘起盥手，钱即以诗纳生袖，且附耳曰"那人诗也"。言毕而去。生视诗，以为玉胜之作，正虑胜以他就为非，每悒怏焉，又见诗，急赴胜处。

胜方午睡东兴轩。生视左右无人，乃以手举胜裙，徐徐起其股，跪而就之。胜惊醒，见生，叹曰："兄已弃妾矣，何幸回心一顾耶？"生谢曰："此心惟天可表，岂敢弃卿，但为春色相羁，不容自措耳。"胜曰："春色相羁，今何以得至此？"生曰："思卿久矣，适卿又赐佳章，如不脱身一会，罪将何赎？"生且言且狎，胜有却生状。生一手为胜解裙，且劝曰："姑叙旧耳，何相责之甚耶？"胜乃笑而从之。既而，问生曰："妾有何章？"生以诗示之。胜曰："此晓云笔也。云有此作，欲自献矣。但母之爱女，兄谨避之。"言未毕，金钱笑至，附生耳曰："那人被验红留住久矣，可急往。"

生别胜往见红，即索云。红戏曰："先谢媒，方许见。"生自指心，曰："以此相谢，何如？"红即挽生入后轩。云果对镜独坐，见生至，低首有羞态。红乃携云手附生。生执其手，温软玉洁，狂喜不能自制，乃与红、云同就寝所。生为云解衣，而红亦自脱绣，三人并枕。及生之着云也，云年少不能胜，啮齿作疼痛声状。红怜云苦，乃捧生过，以身就之；见云意少安，生兴少缓，则又推生附云，欲生之毕事于云也。及云力不能支，则红又自纳矣。代云之难而红便，一枕悲欢，或红而或云，两岐风月。岂料松娘俟生不至，知在红所，自往招之。出外门，及寝所，寂无人迹。进入小轩，见生方窘云，而红替兴于侧，不觉天理复萌，怒形于色，然所爱在女，而所惜在生，惟与红相戾而已。红恃素宠不惧，挽松娘袖，骂曰："上不正，则下乱！汝欲何为？"松娘怒，以手披红面。生与云跪泣，力劝不能止，乃为玉胜夫竹豪所知。豪，放荡士也，怒生乱其妹，欲谋杀生。

生方愧罪，避宿后园。豪使人俟生就寝，暗锁其户，夜深人静，欲举火焚之。玉胜知其谋，料豪不可劝，乃捐金十两，私托锁户者放生出，仍锁户以待火。夜深火发，救者咸至，豪以为生必死，而不知生之预逃也。

生乘夜渡河，次日至午，方抵廉宅。廉方会客，赏牡丹。生至，客皆拱手曰："久慕才名，方得瞻仰。"生逊谢就坐。酒半酣，客揖廉曰："名花满庭，才子在坐，欲烦一咏，尊意何如？"廉目生就命。生乃操笔直书，杯酒未干，诗已脱稿：

中国古典小说

十大禁书

358

烂缦花前酒兴起，诗魂拍入花丛里。露洗珊瑚锦作堆，风薰蝴蝶衣沾蕊。平章宅里说姚黄，沉香亭北呼魏紫。淡妆浓衬岂相同，朵朵绣出胭脂红。更有一枝白于面，恍似倚栏长叹容。春光有限只九十，莫把芳心束万重。名葩种种皆难得，十家根固千年泽。挥洒渐无草圣工，推敲便有花神力。兴高何用食万钟，诗富不愁无千古。且歌且舞拂芳尘，海峤霞铺锦绣茵。轻翠簇妆挥解语，点首东风欲咫尺。万恨莫辞金谷酒，一樽且近玉楼春。春光莫别花皇去，花皇且挽春光住。日日花前酒满杯，满杯春色花催句。诗酒春花同百年，何用浮生悲未遇。

众客视毕，抚掌叹赏。有一老长于诗者，赞曰："此四声各六句体也，诗家最难，长庚之后，绝无此作。祁君一挥而就，岂非今之李白乎？"皆举杯称羡，尽醉而罢。

廉持诗入，示岑曰："子辖真天才也，他日必有大就。我欲效温峤故事，将丽贞许之，可乎？"岑曰："妾有此意久矣。"时文娥、小卿在侧，一驰报生，一驰报贞。贞正念生，忽得此报，喜动颜色。生得报，狂不自禁。是夜廉以酒醉，与岑早寝。生乃潜入，以指叩贞户。贞开户见生，且惊且喜，各以父母意交贺。生因牵贞袖求合。贞曰："兄郑重！待婚礼成，取洞房花烛之喜，不亦善乎？"生曰："天从人愿，事已决矣。况机不可失，尚相拒耶？"遂抱贞就枕，贞不能阻。六礼未行，先赴阳台之会；两情久协，才伸锦幔之欢。春染绞绡，香倾肺腑；恍若鸳侣，何啻鸾凤。诚仙府之奇逢，实人间之快事也。天明，生就外，贞以玉如意赠生。生曰："卿欲我如意耶？"一笑而别。生喜，作一词以自道云：

　　佳期私许暗敲门，待黄昏，已黄昏。喜得无人，悄入洞房深。桃脸自羞心自爱，漏声远，入罗帏，解绣裙。

　　枕边枕边好温存，被已温，钗已横。爱也爱也，声不稳，尤自殷勤。惟有窗前，明月露新

痕。近照怕及花憔悴，花损也，比前番，消几分？（《江城梅花引》）

自是早出晚入，极尽缱绻。举家皆知，所未知者，廉夫妇也。

光阴迅倏，又及试期。生辞廉夫妇及秀、贞赴科。贞私赠甚厚，不可悉记，惟录一词，名曰《阳关引》：

才绾同心结，又为功名别。一声去也，愁千结，心如割。愿月中丹桂，早被郎攀折。莫学前科，误尽了良时节。　记取枕边情，衾上血。定成秦晋同偕老，欢如昔。最苦征鞍发，从此相思急。安得魂随去，处处伴郎歇。

生途中惟以贞为念，至旅邸，郁郁不宁，寝食皆废，作乐府一首，名曰《长相思》：

长相思，心不绝，思到相思心欲裂。罗帏素

月清不寐，泪如悬河积成血。　　山可崩，海可竭，人生不可转离别。别时容易见时难，长叹一回一呜咽。

时有同赴科者，名章台，寄居花柳间，生因访之。章喜生至，拉一妓，名玉红，伴生。生虽同枕，若无情者。明日，又换一妓曹媚儿，生亦如之。又明日，换一妓乔彩凤，生亦如之。至于名妓马文莲、苏晚翠、赵燕宠、陈秋云、姚月仙，日易一人，轮奉枕席，生皆不以介意，惟以丽贞是念。然章台与生同席舍，欲利生之笔，必求一可生意者。至一院，众妓方聚戏，内一妓张逸鸿笑曰："昨晚妹子梦新解元是故人祁姓者。"生惊异，揖而问曰："令妹为谁？"曰："桂红。"生求见，妓曰："适一赴举相公请去，今晚不回矣。"生乃就宿逸鸿以待之。明日，桂红归，即玉胜婢也。因红与生私，怒而出之，媒利厚谢，私卖与妓家。至是，得与生会，凄惨不胜。既而，贺曰："昨梦君为榜首。"生喜而谢之。是夕，与桂红寝，幸得故人，少舒忧郁，乃浩然吟一首云：

　　"栖鹤楼中采嫩红，百花丛里又相逢。姻缘
　　想是前生定，故遣功名入梦中。"

章台见生与红款厚，以为生溺于红，捐金百两，娶红以赠生。生知其意在代笔，遂拜而受之。三场后揭榜，生果第一，章亦在百名内。

时笙歌集门，宾客填坐，忽一家童秀郎者，忙奔报曰："廉参军事发，合家解京，危在旦夕，窬中有书持奉。"生为之惊倒，急开缄视书，曰：

> 即殿元子辖行台下：尚在官时，右丞相铁木迭儿欲娶小女丽贞为妇。尚以彼蒙古人，不愿从命，竟触其怒，欲致尚以死。近赣州蔡九五作乱，岂以玉胜翁竹副使与彼同谋为不轨，遂破汀州宁化。尚久废弃，毫不与闻，今乃坐已知情，陷以同党。蒙上合家拿问。尚为权要所仇，分在必死，但家小辈不知下落耳。幸足下高科，必膺显擢。次女丽贞，愿操箕帚，其余乞念骨肉至情，一体照亮，九泉之下，必拱手叩谢也。身罹国法，锁禁甚严，情绪万千，笔不能尽。再拜。

生视书，每读一句，则长叹一声，泪下如雨，即持书入示桂红。红亦捶胸哭曰："流落烟花，得君留恋，自喜故乡可归，相见有日，何不幸复遭此耶？"遂促生早上春官，以探消息，且曰："妾随去，与小姐辈一面足矣。"岂生以榜首各事所系，淹留月余，才得就路。

及至京，廉与竹氏父子皆以谋逆弃市矣。两家女子丽贞、毓秀、晓云，皆没入宫为婢。其余家小，各流三千里。生得信仆地，气绝而苏者数次。桂红再三慰解，生终不能已，乃设醴牲、作文遥奠廉于逆旅。时延祐二年冬十二月初三日也。

　　　　呜呼！以翁之德，宜受多福；以翁之贤，宜享厚禄。胡为乎位止参军，胡为乎老见屠戮？呜呼！苍天既无酬贤报德之私，乃有林木池鱼之酷。每寄翁书，托其家属。今二女入宫，余丁窜北，叹箕帚之无缘，痛贞、秀之难赎。云散长空，月沉西陆；春归掖庭，雪消阡陌。呜呼！翁真千古之冤，岂止一人之狱！翁视内亲，情由骨肉；今翁已矣，不可复续。聊举清樽，遥陈衷曲。呜呼痛哉！侄不能挽天以雪冤，宁不临风而长哭！

　　祭毕，生愁苦无以自慰，遣秀郎访问两家寄迹之地。店主皆曰：“入宫者入宫，流散者流散。只有一白面女子，身俊而雅，眉秀而长，香肩半匀，金莲甚窄，临入宫时留一缄，祝曰：“新科祁解元来京，即与之。”生知为丽贞缄也，急遣秀郎以谢意索缄。生得缄开视，乃一诗也：

　　　　八幅湘裙染血红，母流父死欲消魂。故人牵记鸳鸯梦，位显须开控诉门。自叹有天难共戴，应知无地再通恩。君心若似初相识，怜取蛾眉见至尊。

果丽贞笔也，托生复仇。生得诗，痛入脊骨，魂不附体。每月白风清，浩然长叹，触景题情，无非念贞意也。有和贞韵一律，极尽哀慕之苦：

淋漓衫袖血啼痕，不见多情几断魂。冷月笑人多伏枕，飞云为我渡长门。深仇可复宁辞力，偕老无缘竟绝恩。含泪羞消如意玉，倩谁传语赭袍尊？

玉如意，贞所赠也，生睹物思人，手不能释。每叹曰："丽贞，吾掌上珠也，今安在哉！"

时京师知生未娶，欲婚之者多，生皆不应。桂红劝曰："君取高科，岂有无妻之理？丽贞已入宫，无再会之期。他日仕途中议君溺于妓妾，不复婚娶，岂不重有玷乎？"生隐几垂泪，默然不言。红又谏曰："君以万金之躯，乃耽无益之苦，事出无奈，可别求佳偶，何伫意于难得之人耶？"生惟长叹不答。红因出汗巾为生拭泪，委曲劝之。生喟然叹曰："天下女子，岂有丽贞者哉？"红曰："丽贞固不易得，但多访之，或有胜于贞者，未可知也。君何绝天下之无人耶？"生曰："京城女子，我决不从。昔山中读书，感龚老之恩，以女道芳见许，后遇丽贞，遂失约。而道芳尚未受聘，不得已，其在此乎！"桂红谢曰："君可谓不忘旧矣。"即遣人归，以礼聘道芳。龚老以旧盟，遂纳焉，但复曰："愿祁郎自重。余相祁郎当作三元，但眉生二眉，花柳多情，此亦阴骘也。今已一元矣，后二元恐不可望。然连科危甲，位至三公，非世有者。幸以此言达之，以为他日之验。"

后生会试，名在第九。殿试拟居状元，但策中一段，颇碍权要：

> 挟官恩而居辅弼，半朝廷之官以为己随；酷刑法而肆贪婪，倾国家之财以为己出。山移日食，地震土崩，良有以也。

时铁木迭儿以太后命为右丞，内外弄权，奸贪不法。见生策，大怒，遂以霍希贤为状元，而生乃探花也。将拜官，生辞不就命，愿请面奏。上召入，问曰："卿何为不欲官？"生奏曰："臣家素守清白，世受国恩，黄门待制，刺史稽勋，各有功绩，著在简端。独臣父为萧氏所陷，致

使无辜。臣闻杀人之父，人亦杀其父。今臣既有不共之仇，又与冠裳之列，岂不上有忝于朝廷，下有忝于祖宗，中有负于所学？臣尚未娶，愿陛下念臣，一雪此冤，臣不惟不愿受官，亦愿终身不娶。"上闻之恻然，令侍御史往案其事。观音保知生微时已欲复仇，今不可挽矣。萧求于铁木迭儿，不能救，父子遂相继而死。

自是，金园、琴娘为众所欺，家日凌替，田产屋宇，消没殆尽。金园寄食于母家；琴娘遂为铁木迭儿所得，甚爱之。时赵子昂以诗画动天下，铁木迭儿每见子昂垂顾，必使琴娘捧砚，乞子昂之笔，子昂每呼为"玉砚儿"，铁木迭儿因赠焉，且曰："长使为君掌砚。"子昂笑曰："君子不夺人之所好。"铁木迭儿曰："君之笔，予所好也。以予之所好易君之所好，何不可者？"子昂因画五马饮溪图以谢之。又尝呼琴娘为"五马儿"，盖以五马图所易也。

及祁生拜翰林修撰，为子昂同僚。子昂每劝生娶，生曰："家贫无以为礼。"子昂甚怜之，叹曰："天使孝子受此穷独耶？"一日，子昂留生饮，半醉，与生联句，呼曰："五马儿捧砚来。"生心在诗，不暇他目，惟执笔而已。

香郁金樽绿似油，几番沉醉曲城头（祁）。
香云有态时时变（赵），野水无情处处流（祁）。
好丑原来都是梦（赵），穷通常事不须愁（祁）。
英雄自古多磨灭（赵），且向花前一醉游（祁）。

琴娘时以眼视生。生忽见琴娘，遗诗不语。子昂曰：
"君尚有所思乎？"生曰："无。"子昂强之。生曰："心事
不敢言。"子昂曰："如不言，罚以大觥。"使琴娘举觥于
生前。生欲言不言，徘徊间，琴娘不觉泪下。子昂疑，强
问所以。生不能隐，遂告以实。子昂叹曰："为萧氏婢，
亦有救人之心，可谓贤矣。然君之故人，仆岂敢留？"即
令肩舆送至生第。生感其恩，作词以谢昂焉：

　　　　玉堂风伯，醉后风流佳句得。忽见娇姿，泪
　　眼凄凉捧玉卮。
　　　　可怜病客，锦帐鸳鸯犹未结。重感瑶琴，不
　　赠豪家只赠贫。（《减字木兰花》）

　　生见琴娘，问："金园何在？"琴曰："已还母家矣。"
生叹息久之。

　　时蔡九五作乱，上命浙江枢密使张驴讨之。铁木迭儿
恶生，累荐生为监军使。生与张挥旌策马，直抵贼垒，三
战三捷之，贼众溃散。生因经略贼营，收其辎重及所掳妇
女三千，各审其籍贯，放还。是夜，生喜功成，饮酒数
斗，击剑而歌曰：

　　　　一击剑兮定四方，星沉斗转兮夜苍苍。辞翰
　　墨兮陷锋芒，功名奏凯兮殿天子之邦。安得美人

兮共举觞，见我一笑兮为我解征裳。

歌罢，见二军攘至帐前，相殴流血。生究其故，因放所掳妇女皆有所索，及一妇，自称宦家，且身无所有，军以势迫之，出一玉扇坠，二军争取，是以相殴。生见扇坠，叹曰："此徐氏故物，乃我所赠金园者，何以至此？"即令追其妇。妇至，即金园也。金园归母家，因贼至出逃，途中为贼所获。生纳之。

明日，生以捷书上闻，捷书中有一联云：

　　臣等衣暂试于一戎，月连飞于三捷。鲧罪已戮，，见东海之无波；氛气尽消，仰太阳之普照。

捷书至，上方侍太后，太后捧捷书读，叹曰："军中有此笔，必出才子之手。"因问承旨赵子昂，子昂曰："此修撰祁羽狄笔也。此人自幼未娶，学识高才，且为复仇，孝行可加。今为监军使。"太后曰："求忠臣于孝子之门。此人既孝，则事君必忠，一战破贼，乃其小试耳。然而至今未娶，何也？"子昂曰："家贫无以为礼，是以未娶。"太后与上叹曰："使臣子贫而无妻，皆朕之罪。待班师，朕给以宝钞，再赐宫人四员，事彼归娶，以彰朕厚赏之恩。"遂即降旨班师。

生至京，得闻上意，密谋于宦官续元晖曰："上欲赐臣宫女四人，臣，吴中人也，有新入宫者，亦吴人，廉氏名丽贞，乞查访，得赐，当效犬马。"晖曰："鄙人有梅竹图，得君佳句，即效力如命。"生即题曰：

> 漏泄春光有此花，冻雷惊动亦萌芽。九天雨露冰姿莹，咫尺云霄凤尾斜。青锁晓临闻禁笛，紫宸朝罢玉冲牙。高堂清逸悬图处，不比寻常力士家。

元晖喜，即入宫。及出，见生曰："宫人十余，不能尽齿颊，将安得耶？"生不言久之。继而喜曰："我有玉如意，乃此人旧物，君持入宫，彼或见此，必自诉也。"元晖持而复入。过一侧殿，果一宫人见而问曰："此物何来？"晖曰："此吾友所赠也。卿何相问？"宫人曰："友为谁？"晖曰："祁修撰也。"曰："非羽狄乎？"曰："然。"宫人问未完，即流泪。晖曰："卿非廉氏丽贞否？"贞惊曰："君何识妾名？"晖告其故。贞大喜，即与毓秀、晓云共以金赠晖，皆求赐出。旁一宫人，亦关中女也，知贞等谋，亦愿出金求赐。晖并许之。及生见上，上果赐焉。

生受赐，谢恩还第，惟以得贞为念，不意秀与云皆与焉。相见，抱头号哭，悲泪交集。贞、秀与云收泪相拜谢。其一女尚掩面呜咽，生怪而问之，乃陆娇元也。自为舟人所逼，即欲赴水，舟人恶之，卖与一富家，富家有女该宫人，其母不忍，乃匿其女，而出元代焉。元自湖口别

生，经历万苦，不意复得见生，是以惨甚。生再三抚慰，同载而还。

锦缆牵风，开樯漫水。白云江上，咿咿一棹笙歌；碧树滩边，渺渺半帆山色。心悬离合，情集悲欢。生命钩帘设宴，言笑怡然。酒半酣，生抚丽贞肩，叹曰："我与卿不意今日有此会也。"贞曰："吾入宫时留诗奉君，已有'无地通恩'之叹，今幸合为一家，昔日之盟庶不负矣。"生曰："仆和卿韵亦有'偕老无缘竟绝恩'之句。今事出于无心，而夙愿已从。则少年时遇玉仙子赐诗一律云'相逢玉镜台'盖与卿等会也；又云'天朝赐妙才'，盖今日上之赐以卿也。其言验矣，吾与卿等焚香拜空以谢之。"及众拜起，见双鹤绕舟，半晌而去。生喜，即命酌酒，琴娘起舞，桂红雅歌，毓秀点板，金园吹箫，晓云拨筝，娇元捧壶，丽贞执爵，共劝之曰："今日之乐，亦非寻常，愿君酩酊。"生曰："诚奇会也，固当一醉。但无诗不可以记胜，予为首倡，卿等继之。"

把酒欢良会，犹疑梦寐中（生）。姻缘天已

定（云），离合散还同（贞）。历难投金阙
（元），留恩免剑峰（园）。狂雷中露发（秀），
深院隔墙逢（红）。梅老莺初壮（贞），衾寒日
已东（琴）。玉堂金挂绿（生），粉脸昔题红
（贞）。痛母心千里（秀），私恩拜九重（云）。
何方吴与越（琴），谁料始能终（元）。歌舞惭
多辱（红），兴衰觉乱衷（园）。大家须一醉，
何必诉穷通？

生曰："琴娘之'吴越'、金园之'兴衰'，尚有恨
耶？"琴、园谢以无心，各举爵奉生。生饮之，不觉沉醉。
乃即舟中设长枕大被，众女解衣拥生而寝。生眷恋之情，
人各及焉。

明早，过陈夫人宅，生登涯访之。陈甚喜，令孔姬出
见，视生微笑，各理旧情。不意陈族中及外人皆知之，生
乃避嫌还舟中。时差人馈答往为，凡三日，道姑宗净等知
之，恨生不至，且与陈因生结仇，绝不往来，难以就陈见
生，惟与众道姑怅恨而已。

时有道士刘志先，乃蔡九五党也，有妖术，因蔡败逃
匿院中。宗净素知刘有术，请计于刘。刘曰："不难，夜
即诛陈。"众不之信。是夜，祁生以绞绡帕寄诗于陈，陈
方坐灯下读诗，因呼孔姬，语曰："祁君以此见寄，情亦
切矣，奈不可近何！"

数载相思窈窕娘，临风几欲断愁肠。而今久
泊孤舟待，咫尺无缘到枕旁。

　　孔姬未及答，忽户外有兵戈声。方欲趋避，忽然见一
人长丈余，手持双斧，身披甲胄，发赤面青，形状甚怪，
向前喝曰："谁为陈也？"陈疑其盗，跪而告曰："妾，陈
氏也。将军用宝，任将军取之。"其人曰："奉刘元帅令，
取汝首级，焉用宝为。"言罢，斩陈首悬腰驰去。

　　孔姬合家惊倒仆地，不知所以。至晚乃苏，率婢辈同
奔生舟，告以故，生遂匿焉。即令人访陈氏事。首级血流
一路，直至院中。生知陈与院中不和，必为道姑所谋，托
官府追究。各道姑惧祸，皆指刘。刘知不可脱，遂拥众作
乱，杀伤官兵，不可胜计。

　　官府以变闻。上遣枢密使院判官章台督兵捕之。章即
生之同科友也，将与刘战，请计于生。生曰："此人久处
道院中，道姑必知其术，可先擒之。"章台令甲士擒宗净
等数十余人。章究其术，众云："不知。"及加以酷刑，
惟叩头流血，毫无所言。生往救之，宗净等已付军法，惟
涵师与锡未受刃，急令止之。生曰："愿代君讨贼，以赎
二人之命。"章曰："君能破贼，何惜二奴。"即令涵师与
锡还俗归生。

　　生从容问锡曰："此贼在院所为何事？"锡曰："无他
事，惟剪纸作戏具耳。"生曰："戏具何状？"曰："其状
如甲胄之士。"孔姬在旁应曰："杀陈者，即甲胄士也。"

生即入军中，令曰："人各持狗血一升，贼至，先以血冲之。"生乃自束戎装，以仙女所赠玉簪插于冠顶，且祝曰："玉香仙子曾云簪能解厄，今与贼战，宜卫我矣。"祝罢，即捣贼营，贼望生顶红光贯天，威风刮地，不觉失声而溃。生令军中冲以狗血，贼皆仆地。生就视之，皆纸人也。生命以火焚之，刘志先乃伏诛。残党七十余人，前舟人谋生者亦在内，生并斩之。遂与章别，发舟南还。章台崇酒于樽，作词以送之：

> 千里故人，一樽席上，笑口同开。念五六年前，三千士内，随君骥尾，得占名魁。君受皇恩，妙龄归娶，一棹笙歌碧水隈。青霄立，见中天奎璧，光动三台。　　如君海内奇才，七步风流气似雷。况韬略兼全，两番灭贼，他年麟阁，预卜仙阶。沙燕留人，潭花送客，把手高歌一快哉。苍生望，愿早携鸳侣，共驾回来。

时生归娶，妾媵女十余人矣。及道芳入门，恭敬自持，丽贞等甚畏之，而奴辈不敢乱步。此亦大家之风范，才子之家箴也。生忆溜儿在狱，令人赍书至娇元母家，其父即以书告官，言"女在，与溜儿无干。"溜儿归，生以琴娘配之。

生娶毕还京，恨铁木迭儿之肆恶，纠同内外监察御史四十余人，劾其"逞私蠹国、难居师保之任"。上不听。

铁木迭儿遂谋陷生，因出生为边方经略使。生即戎服跨马，以肃清边为己任。临行，吟诗以自誓云：

> "三尺龙泉吐赤光，英雄千载要流芳。长驱
> 直捣单于窟，烈烈轰轰做一场。"

生到任点军，残缺死者甚众。生查其妻小遗孤，编为一册。册内有一人与生同里闾者，观其名，即陆用也。用以狡诈主母至死，遂问军。生以军令取用，时用以阵亡，其妻山茶入见。生问曰："汝夫既死，只身何托？"山茶叩首告曰："幸吴妙娘夫亦以贩卖官盐，问军到此，今其夫亦战死矣，而妙娘尚有私蓄，是以相依在此，苟全性命。"生曰："妙娘湖上之恩，乃我再生之主也。"即令入见。时分虽尊卑，而情同离合，会晤之顷，不觉泪下。生问妙娘："归否？"妙娘泣曰："恨无路耳。"生乃匿以为妾；山茶则以秀郎配之，将名概除之，以绝查究。妙娘曰："妾少为情客妻，壮为军人妇，年逾三十流落于此，幸君带归，不死足矣，敢僭衾枕耶？"生曰："吾为重臣，美妾如簇，非爱卿色也。第卿乃始交之人，又有湖上之惠，岂为薄幸郎，身贵便忘贱耶？"是夜，挽妙娘同寝，喜甚，作《重叠金》词：

> 少年一枕吴歌梦，春光怕泄惊相送。许久忆
> 芳容，相逢湖水中。　赠金知惠重，铭刻心尝

颂。今日是天缘，难将贵贱言。

　　生既得妙娘，即起马巡边，梯山航水，自北而南，名震蛮夷，威如雷电。一日，过廉、竹所流之地。廉夫人岑氏、竹夫人松娘已疾故矣，所存者，玉胜、验红及各婢耳。见生至，皆放声号哭，生亦恻然。玉胜挥泪问曰："闻二妹、晓云皆得侍左右，妾等不知生死，君宁忍耶？"生曰："卿等暂止此。待还朝，当为卿复仇。卿等与贞、秀会有期矣。"胜等拜谢，祝曰："此地非人所居，况无男子相卫，早一日归，乃一日之惠也。"

　　生自是边功名重天下。上颇知贤异，擢生为招文馆大学士兼平章军国中书左丞相。后以英宗被弑、迎立晋王功，进开府仪同三司、上柱国、太师。铁木迭儿为太子太师，生乃劾其"诬杀忠良，奸贪不道，至陷廉、竹家小"。自是，玉胜、验红并两家婢妾，皆从生矣。铁木迭儿恨生，使其欢为御史者，亦劾生"享大爵而以事夷君为耻，诈巡边而以故军妇

为妾"，盖指吴妙娘也。上不听。生喜，归语道芳。道芳曰："功名富贵，皆有定数，人亦何为！"时丽贞侍侧，从容进曰："妾闻勇略震主者身危，功盖天下者不赏，君之谓也。君见欹器乎？满则覆。今君满矣，愿急流勇退，保摄天和，行歌花鸟，坐拥琴棋，不亦乐乎？"生闻之，豁然大悟，乃抱丽贞置之膝，两脸相亲，豁然叹曰："久沉宦海，得卿提醒。大丈夫弃功名如敝屣，视富贵如浮云，安用担惊受恐、拖朱紫为傀儡态耶？"恳乞天恩，力求致仕，赋诗《浩然》而归：

　　浩然长笑一临风，解带于今脱鸟笼。此去溪山访明月，不来朝陛拜重瞳。诗书事业原无底，将相功劳总是空。尘外逍遥真乐地，早携仙侣醉花丛。

生归，又娶美姬二人，曰碧梧、曰翠竹，及丽贞、玉胜、晓云等共十二人，号曰"香台十二钗"。婢辈山茶、桂红等及新进者仅百余人，号曰："锦绣百花屏"。珮环之声，闻于市井，麝兰之气，达于街衢。生每夜暮，皓齿轻歌，细腰双舞，笙歌杂作，珍馐若山，红粉朱颜，环侍左右，虽南面之乐，不过是也。宅后设一圃，大可二百亩，叠石为山，器篱为径，峻亭广屋，飞阁相连，异木奇花，颜色相照，四景长春，万态毕集。生得游，必命侍姬捧笔砚，每至一处，必加题咏。然亦不能悉记，而吴中传闻者，止二三词而已。

《题绣谷堂》（词名《临江仙》）

帘卷华堂名绣谷，高山翠列如屏。四围风送
珮环声。奇花千万种，松林两三层。　山外有
山山外水，水边山顶皆亭。绿阴斜径小桥横。眼
前堆锦绣，何处问蓬瀛？

《题筠溪轩》（词名《浣溪沙》）

香销篱黄金地棠，风生水榭竹阴凉。小窗飞
影印池塘。浪泼春雷鱼欲化，竹围山径凤来翔。
暑天水簟即潇湘。

《题曲水流觞》（词名《天仙子》）

春晓辘轳飞胜概，曲曲清流尘不碍。玉龙昨
夜卧松阴，云自盖，山自载，偃仰屈伸常自在。

浮觞更把兰亭赛，别是人间闲世界。恍如仙
女渡银河，溪虽隘，行偏快，只用光生长坐待。

园内凿池，近百余亩，内设六岛，每岛皆有楼、台、
亭、榭，其制各异，石桥相连，下可舟楫，谓之"西池六
院"。一院则使二姜居之，二姜则以六婢事之。每院笙歌，
昼夜不绝。

一夕月夜，生与道芳驾小舟遍游池岛，命各院八窗洞
开，垂帘明烛，箫鼓低奏。清风徐来，水月相荡，时执棹
者吴妙娘也，生命为吴歌，随波宛转，声若洞箫。各院皆

以清笛应之，俨如鹤唳松梢，不觉尘骨皆爽。生乐甚，命酌酒，与道芳对饮。因举手托道芳腮，戏曰："今夜夫人兴动矣。"道芳正色应曰："夫妻相敬如宾，何戏狎如此！"生曰："夫人乃铁石人耶？"舟过一院，匾曰："碧香琼馆"，贞与云所居也。生因以手招贞，贞与云登舟。生曰："才得罪夫人，二卿为我谢之。"贞举爵劝道芳，芳却之。贞跪下，芳急扶起，曰："贞姐自重，即当强饮。"继而，晓云亦举酒跪奉。芳亦扶起。谢曰："量不能矣。"生笑曰："量颇容人，乃不能容酒耶？"芳又强饮之。西南一院隔栏遥呼曰："妾未尝见夫人饮，愿下执壶。"生视之，乃玉胜、金园也。令取小舟渡至。亦各捧酒奉道芳，芳力辞。玉胜、金园劝曰："妾等樗材，恩承樛木，久涵饮德之恩，恨无涓滴之报。今借花献佛，望夫人少饮。"生亦劝曰："来意至诚，亦当少尽。"道芳乃啜其半。复强饮之，不觉香肌醉软，睡态渐增。生命卧榻设重茵绣枕，扶道芳寝。乃与丽贞推篷坐月中，飞觞浪饮，纵棹遍游各院，笙歌愈觉嘹亮。生曰："与卿等联句可乎？"众曰："可。"

筵开画舫夜初长（生），绝胜当年醉白堂（园）。水底明河斜转影（胜），云连新月细生光（贞）。诗盟不就君须罚（云），……

生抱云戏曰："卿今夜欲罚我乎？尚记得床后小轩不

能禁否?"云笑曰:"此为验红所诱耳。"生以手插入云怀,摩弄其乳,春兴勃然,欲狎云于坐中。云曰:"夫人在坐,愿公少待。"生曰:"汝畏夫人乎?我当先狎夫人。"乃舍云而就榻,将欲解道芳衣;生醉后性急,忽动道芳佩玉一声,道芳惊醒。生抱而戏曰:"如此良夜,适兴何妨。"道芳起坐,曰:"侍妾满前,明月照目,不意海内名公、朝廷重宰,乃儿戏一至此耶?"生不答,惟求相合。道芳怒起,拂衣登岸。贞等劝生曰:"夫人性重,欲与聚首,在妾院中可也。"生曰:"然。"率贞等邀道芳同宿,使众妾即环侍左右。明日,生酒醒,但见玉人如砌,香雾冲帘,生心荡然,恣意纵欲。芳谏曰:"公非少年矣,愿当自惜。"生笑曰:"老当益壮,何惜之有?"

自是,淫乐无所不至,或吟咏,或局戏,或清谈,皆与众妾在焉。一日,月上忘归,尝有诗云:

> 共榻清谈花雾浓,并头联句月明中。起来一笑同携手,绣谷堂深烛已红。

或宿一院,则各院送茶,婢辈皆待生睡,方敢散归。或生少出,则各院明烛待之,香薰翠被,任生择寝。或生浴,则众妾环侍如肉屏。或天寒,必三妾共幔。生之家事,各有所司,生不自与,惟吟风弄月、逍遥池岛而已。

一夕中秋,月明如昼,生方与众妾泛舟,忽见西南祥云聚起,鸾鹤旋飞,空中隐隐如有鼓吹。顷间,红光照

水，香气逼人。生与芳等视之，见一女子立涯上，呼曰："祁君，妾复来矣。"生停舟相接，乃玉香仙子也。玉香自袖中出丹一帖授生，且曰："令家人分服之，皆可仙矣。况道芳乃织女星，贞乃王母次女也，余皆蓬岛仙姬，不必尽述。今欲缘已尽，皆当随公上升。"言毕而去。

生自是飘逸有登天之志，绝欲服气，还精固神，举足能行空，出言可以验祸福。人皆异之。后携芳、贞等入终南山学道，遂不知所终云。

古杭红梅记

唐贞观时，谏议大夫王瑞字干玉，乃骨鲠臣也，出为唐安郡刺史之任。有二子，长名鹏，次名鹗，皆随焉。

鹗颇有素志，处州治中，红梅阁下置学馆读书。阁前有红梅一株，香色殊异，结实如弹，味佳美，真奇果也。郡守见而爱护之，每年结实时，守登成以数标记，防窃食者，留以供燕赏、馈送，祗待宾客。是以红梅畔门锁不开，若遇燕赏，方得开门。

忽一朝，阁上有人倚栏，笑声喧哗。门吏回报，恐是宅眷之人，又不闻声音，遂立阁前看视，则封锁不开。惊诧而回，急报刺史。开锁看之，杳然无人。只见壁上有诗一首，墨迹未干。诗曰：

> 南枝向暖北枝寒，一种春风有两般。凭倚高楼莫吹笛，大家留取倚栏干。

郡守见之，嗟叹良久，乃曰："其诗清婉，无凡俗气，此必神仙所题。"遂以青纱笼罩之。或遇宴赏，郡中士夫争先快睹，皆称盛事。自此门禁甚严。

忽一日设宴，王鹗与先生李浩然登阁。是时红梅未有消息，鹗倚栏曰："顾盼上诗，意清绝，是谁为之？然未有佳效。"浩然曰："何也？"鹗曰："我观其首句'南枝向暖北枝寒'，今小春十月，安得南枝向暖之状貌也？"遂以手指红梅而言之曰："何不便开花，以实前诗？"以手指处，红梅遂开，清气袭人，莹白夺目，顿觉身在仙境也。鹗惊骇。浩然曰："非为怪异，乃百花之魁也。"以诗赠鹗：

> 南北枝头雪正凝，因君一指便霞蒸。从知造化先逞瑞，来岁巍科必首登。

王鹗告先生曰："蒙赐佳章，斯望不浅，未敢续貂，伏惟请益云尔："移植扬州久秘神，孤根一指便回春。姑仙应解寻芳意，先发南枝赠故人。"

浩然叹曰："览此诗，前程未可量也。"久之，同下楼，秉烛，各回书院。

夜到半，鹗独坐于书帷之中，焚香诵读。鹗性孤洁，只留一小童相随，不觉城楼更鼓已三鼓矣，将解衣就寝，忽闻有人声，鹗曰："是谁？"乃是一女子之声，应曰："妾乃门者之女，灯下刺绣鸳鸯宿 莲池，莲池绣未完，鸳鸯绣未了，适值雨骤风颠，银钗吹灭，辄至书帷，告乞灯火。念奴至此已立多时，见君气吐虹霓，胸蟠星斗，书声越三唱之丝桐，咳唾倾囊中之珠玉，治唐虞而驾秦汉，师孔孟而友曾颜，奴亦乐道喜闻，不敢间断君之书思也。候君就寝，乃敢叩窗，辄欲借灯，不阻乃幸。"王鹗闻其吐词美丽清雅，颇有文士之风，疑非门者之女也。女子曰："奴生长于斯，况前守于此置有学馆，奴供洒扫，接见贤豪，剽窃词章，暗阅经史，日就月将，亦心通焉。食麝柏而香之美也，无足怪焉。"王鹗曰："才学如此，想必能诗。"女子曰："略晓平仄。"鹗曰："请灯为题。"乃呈一诗云：

无情风雨扑银钗，乞火端来叩玉窗。恨隔疏棂一片纸，却将鸾凤不成双。

诗毕，女子复吟一绝，以答王鹗云：

　　　　闻君未觌意何浓，才子佳人不易逢。只为乞
　　灯当午夜，便劳宋玉咏高峰。

王鹗闻之，神思淫荡。见女子有怜才之心，而鹗有愿得之
意。但恨窗前阻隔，莫尽衷肠，遂作一诗以见其意云：

　　　　蓦闻诗句最钟情，便欲寻芳与结盟。可奈书
　　窗灯影隔，惜花空自梦瑶英。

　　女子曰："君既有惜花芳心，何为教人独立于窗外
乎？"乃吟一诗云：

　　　　独立更深体觉寒，隔窗诗和见尤难。合欢既
　　肯将花惜，对面何如冷眼看？

王鹗高举手，持灯于窗隙之间照之。见女玉容媚雪，花貌
生春，衣云袖以飘飘，顶霞冠而烁烁，神仙之艳质，绝代
之佳人也。王鹗曰："人耶？鬼耶？故来相戏尔。吾乃朝
臣子弟，廊庙才人，恪守不谈鄙陋之言，佩服不私暗室之
语。一失士行，万瓦俱裂，名教之罪人也。适来赋诗之根
源，非汝借灯，特是戏谑之言，原非本情。我心如石，不
可转也，淫戏非所愿闻，汝宜速回，无贻后悔。"女子答

曰："奴亦非人非鬼，乃上界谪降仙子也，适为蓬莱上客，骖鸾舆而游三岛，驾鹤驭以访十州，经过蜀郡，乃于云际闻君弦诵，特伫以听；隔窗外而见郎神气清爽，玉树琼枝，骨格孤高，原非尘埃中人。妾为宿缘仙契，固非偶然，愿奉箕帚之下尘，以和鸾凤之仙侣，尔亦如弄玉之于箫史，琼姬之于子高，上元夫人之慕封秀士也。妾言已出，君且勿疑。"王鹗曰："此非仙侣之言也。我闻神仙居溟漠之洞，处无虚之乡，登太极之门，住蓬莱之岛，同天地之寿，餐日月之光，世界破坏，此身不毁。吾今见汝以丝帛之服饰身，以淫乱之言惑人，色念不消，花心犹在，何得为神仙乎？"女子答曰："君言非道理之言也。妾闻天地之大，岂偶然哉！日月交光，阴阳相游，上至天仙眷属，不异人寰，下至草木昆虫，岂无配偶？婴儿少女，存大道之玄机；乾覆坤载，作万物之父母。而以独阳不成，孤阴不生。郎是儒生，穷理多闻，廉耻四维，固不可不张，大道玄门，亦不可不度。妾虽仙侣，降谪凡世，与君凤契姻缘，今当际遇，布露再识，无用多疑，永夜良宵，敢告子识。"鹗曰："既

中国古典小说十大禁书

是流品与鹗有缘，奈严君在堂，家法整肃，何况为人之子不告而娶非礼欤？"女曰："礼固然也，男女之情，虽父母亦有不可间断。郎与先生李浩然阁上之诗，则妾所愿也。君指'首句谁为之，无有佳效'，妾领君言，故发南枝，满春色于花间，寄芳心于言外。君寓意作诗以挑之曰'姑仙应解寻芳意，先发南枝赠故人'，妾本仙质上品，南宫仙属，我见君诗，已见先有情矣。是时妾在阁上，为先生李浩然在傍，不敢求见。今夕私逼，岂偶然哉？君如肯点头领妾之意，妾意降志以侍君子。妾有大药，可驻君颜；妾有大道，可赠君寿。同日与君入蓬莱，居长生馆，坐龙车而游三岛，驾鹤驭以访十州，食王母千岁之桃，饮麻姑琼液之酒，享物外逍遥之乐，结天下无尽之缘。过隙白驹，乃人间之光景；黄粱槐国，实昨夜之悲欢。生死轮回，立而可得。利禄如蝇头蜗角，郎且勿贪；山家有凤舞龙吟，君宜静听。比时取舍，可自裁之。"鹗曰："天道甚远，吾不能知。今日相逢，誓不及乱。鹗有素志，平生不敢犯慎独之戒，且好德不好色也。"遂灭灯拥衾而坐。仙子推门，不得入，乃扣窗再嘱曰："君已无情见拒，奴亦暂且告别，他日再来。"抱恨而去。鹗通宵不寐，书窗渐明，方下榻而观。案下有诗一绝云：

尽道多情反薄情，南枝空自叹芳英。萧生若有神仙骨，好共乘鸾驾玉京。

鹗只疑是妖魅，恐为所惑，不足介意。

次夜，又闻东阁有人歌红梅曲者徐徐而来。细听其声，乃昨夜女子之声。鹗遂灭灯就寝。其曲乃《减字木兰花》也：

> 清香露吐，玉骨冰肌天赋。素质玲珑，微抹
> 胭脂一点红。
>
> 迥然幽独，不比人间凡草木。移种蓬山，解
> 使傍人取次看。

曲罢，继诗一绝云：

> 一谪人间已有年，暂抛仙侣结尘缘。多情却
> 被无情恼，回首瀛洲意惘然。

诗罢，复来扣窗。王鹗不应。女子曰："人非草木，特甚无情，一失机心，终身之恨。"徘徊窗下，往来叹嗟。又曰："郎心匪石不移，妾意繁花撩乱，君非美玉之品，亦非封侯之徒。"怒骂而去。不觉鸡声报晓，楼阁初残，则听窗声，杳然无迹。

鹗乃整衣下榻，又见案上一幅花笺，观其字如凤舞龙蟠，翰墨潇洒。其诗曰：

> 谁道仙姬不嫁人，请看弄玉与云英。料君未

有封侯骨，敢问君王乞与卿。

鹗见诗意谓昔云英弄玉之事，又闻昨夜怒骂云"君非封侯之徒"，而欲求神仙配偶之意。"情思相感，昔已有人，今何不然？"乃思刘晨阮肇天台之游，慕阳台宋玉之事，独行独坐，如醉如痴。窗前绝弦诵之声，梅下注相思之泪。焚香静坐，遐想缅怀，欲一再睹仙子，不可得也。乃吟一绝以惆怅云：

> 当年错拒意中人，此日相思枉效颦。咫尺桃
> 源迷去路，落花流水漫寻春。

又于红梅阁下题一绝云：

> 南枝曾为我先开，一别音容回不来。尽日相
> 思魂梦断，雨云朝暮绕阳台。

又于阁上眺望，徒倚栏干以吟风，笑咏桃花而卧月。

自此寝食日废，念兹在兹。而先生李浩然知其王鹗染红妖魅也，多方劝谕，勉之以诗云：

> 书中有女玉颜新，感事寻梅太损神。恐有花
> 妖偏媚眼，好呈彩服慰双亲。

王鹗终不听，自此嗟叹悲泣，略无情绪。时绕梅边，如有所待，或见怪异，致被父母怀疑于心，恐有他事，遂移王鹗寝于中堂，千金求医，多方疗治。旬余稍妥，饮食渐进，举止如常。

忽一日，鹗又独步红梅阁下，惆怅不已。特见梅花自开，芳枝斗艳，寒蝉噪于疏影，清风袭入暗香。忽忆壁上之诗，依前诵"南枝曾为我先开"之句，今物在人非，不觉泪下，遂望南枝别作一绝云：

> 风流业债告人难，女貌郎才好合欢。今日花
> 开人不见，几回肠断泪阑干。

诗毕，又作《减字木兰花》词一阕云：

> 素英初吐，无限游蜂来不去。别有春风，敢
> 对群花间浅红。
> 凭谁遣兴，写向花笺全无定。白玉搔头，淡
> 碧霓裳人倚楼。

作罢，见树上有一幅花笺，遂用梅枝挑下。乃一诗云：

> 知君情梦慕瑶芳，我亦思君懒下床。只恐临
> 轩人不顾，令人道是野鸳鸯。

王鹗看罢，诗意谓定约今宵欢会，乃下阁复归书院，喜不自胜。预设绮席，薰降真香，排列酒肴，以候仙子之至。

遇夜，果来。鹗乃燃烛，肃敬迎之书帷中，叙间阔之情，分宾而坐。仙子笑谓鹗曰："前日相拒，非君无情。今日相会，莫非良缘？"王鹗答曰："恨无仙骨，多有凤愆。初时拂逆仙颜，深为冒犯。自愧沉沦业海，以致仙风迥隔，恐万劫难逢。岂期再睹玉颜，从此再无相负。"仙子曰："妾初瞻仰之时，知君素有仙方，偶会期愿可谐，尽在天上人间。惟君神契，妾意是思。今睹忆念，果金石不移。味其诗词，又心口相应。与子偕老，地久天长。"鹗再拜赋诗云：

敢将风质伴仙俦，同坐云车玩十洲。今日幸谐鸾凤侣，桑田变海此生休。

仙子曰："初见君颜，缘尚未偶，今日知君情意坚，确信是天缘，非人所能合也，妾敢固辞哉！妾有仙家酒肴，长春美酝，千岁松醪，瑶池蟠桃，天苑仙果，玉麟白兔之脯，龙肝凤髓之馐，愿奉君前，惟情所愿。"但将碧玉簪敲身上所系佩玉数声，俄有青衣二童子各持金卮玉斝、嘉肴美馐，罗列于前。果非人世间所有之物，自是仙家异色品味也。鹗因问曰："仙子名籍，属何洞天？"仙子曰："妾乃是南宫品仙也。每至三元日，降下凡间，随意游赏。见郎君精神爽异，才思孤高，契妾凤心，愿谐仙侣。正谓在天愿为比翼鸟，入地共成连理枝，每携手以同行，长并肩而私语，天地有尽，此誓无穷。"遂解衣就寝。仙凡胥庆，始觉人间玉绳遄转，银漏急催，却早城乌啼晓，扶桑鸡唱，欢情未厌，离思复牵矣。

仙子晨兴，急整霞帔，忙穿绣履，乃别鹗曰："妾获倚书帏之谐，素望后期未卜。"离情缱绻，不忍别去。许以七夕复会，遂以分袂，命驾云车。行间，又谓鹗曰："君欲知妾之名姓否？妾乃张氏，小字笑桃，籍在琼楼，别有名号。君宜记之。"言讫出户，望东北角腾空而去。

后至七夕之夜，王鹗瞻候，仙子果至。鹗笑而迎之。遂携手而书帏，再叙旧欢。仙子言曰："妾暂赋《式微》之章，君忽恋人间之喜，故来见辞。"鹗曰："何弃我速乎？"仙子曰："奴赴此期，恐负私约耳。若失大信，将何面目以见我仙侣乎？虽是暂别，何用增悲，既谢留别，难为割舍。妾欲与君同赴华胥之约，可乎？"鹗曰："凡愚下质，梦不到于仙宫，既许同游，愿尾车尘之后。"

仙子遂以手携王鹗之手，同行碧落之中。鹗神思恍惚，见侍从数人，体貌妍丽。忽见二只白鹤从空而来，请仙子、王鹗乘之，向空而去。

至云端，见琼楼鹤绕，碧殿鸾翔，奇花开春，鸣禽和日，真仙之境也。俄有一青衣玉女来，迎入仙府。有命："置宴于碧霞殿。兹者承劳仙眷远来，筵中以添座位，用敢奉邀，幸望惠然。"鹗曰："主人情重。"遂同往至碧霞殿。主席者，乃房杰仙子也，不施铅粉，自有仙姿。主席者先为笑桃叙间阔之情，次及鹗。鹗曰："鹗乃诗书寒儒，簪缨孺子，不期庸质，误入洞天。既获瞻承，曷胜荣幸！"主席者答曰："妾姓房名杰，今日之会，喜遇佳宾，愧无倒履之迎，幸有投辖之饮。"又令左右青衣往玉英馆请诸仙主座。须臾，仙女十数辈皆来，披霞佩露，绝质奇容，前揖主席，次与笑桃叙久别之怀。乃与王鹗相揖，排列而坐，开樽酬酢，酒已三行，主席者曰："我辈前列仙品，各有仙局所拘，每以邂逅为期，岂料有此佳会。乃蒙君子不鄙而访临，决匪人为，实惟天幸。然所居之馆名崇英，又有玉英之馆，以众仙女所居。各座仙女，名曰柳梅卿、宋梅庄、王兰素、韩婉清、李渭琼、凡梅英等。今日筵中之酒，其品有三：一曰透天酡，可驻人颜；二曰碧玉浆，令人智慧；三曰白梅香，令人增寿。今酒已三行，吾辈各举前日阁上所题之诗，曰：'南枝向暖北枝寒，一种春风有两般。凭枝高楼莫吹笛，大家留取倚栏干。'"房杰曰："果是出尘之句，实符今日之仙会也。杰敢续貂。"乃和

朔风晴雪对严寒，南北枝头总一般。向暖让
人先去折，耐寒有令不须干。

合座称赏，曰："杰旧日佳章，予不敢及。今日之诗，幸
逢敌手，愿和以示鹗。"云：

冰肌玉骨不知寒，酌酒探花态万般。吹彻凤
箫还起舞，参横月落满栏干。

众仙称贺，才调清雅，一座尽吹。鹗已中酒，群仙姊妹俱
起舞于前，殷勤相劝。鹗又强饮，乃至大醉。群仙曰：
"华胥僻陋，谢君访临，此会千载一遇，愿得佳章，用光
此席。"鹗曰："仆虽不才，唯命是从。"乃作诗一绝云：

喜随鸾鹤会群仙，济济仙才尽出伦。相庆佳
期觞咏处，不知谁是惜花人？

仙女看诗，相顾而笑曰："谢君佳作，甚有余味。"酒已
罢，乃随众仙登阁玩赏，见红梅甚发，大胜于前。众仙觅
诗，鹗又赋云：

误入华胥喜结盟，倚栏还欲赏梅英。题诗聊

索仙成美，谁道无情却有情。

众仙见诗，皆含笑相谢。惟笑桃改容，谓鹗曰："何酒后
把心不定，乱发狂言？"遂投笔砚于前。鹗曰："诗本性
情，诚酒后狂妄也。"诸仙劝笑桃，令鹗再作，以解其愠。
鹗遂奉命，仍以红梅为咏，寓前日持赠故人之意云：

> 玉骨冰肌别样春，淡妆浓抹总宜真。个中谁
> 辨通仙句，折取南枝赠故人。

笑桃见诗，且喜且怒，蹙眉蹙面，谓鹗曰："君词清绝，
始见郎君，奈何末句折我南枝，似乎诗谶，恐妾与君佳
会不久！"鹗云："仙缘奇遇，正望情如胶漆，生则与子
同处，死则与子同穴，何怒如此，欲遂生离？"笑桃曰：
"郎是梅树，妾犹花也，折以赠人，可乎？"次又谓鹗曰：
"生死离合，自有定数，亦非人所能为。果应折取南枝，
使妾之心进无所望，退无所守，虽欲再与君遇，不可得
矣！"遂放声大哭。玉颜声娇，坐客闻之，莫不流涕。鹗
曰："醉后诗词，有何足凭？仙子之言，果为诗谶，岂折
南枝系仙子身命之所在耶？"鹗乃再赋一诗，以解其怒云：

> 春风勾引上瑶池，共赏琼芳醉玉卮。寄与花
> 神须爱护，冰壶留浸向南枝。

群仙怒曰："碧霞之殿，华胥之仙馆也。南宫之仙，我之姊妹也。为君有仙骨，故以身相托，游君以华胥，饮君以琼液。蓬苑之仙花，可为轻易折以与人？狂生之喜，酒之过量也。"遂令众仙推鹗。鹗乃惊醒，身已在红梅阁下矣。

时画角催晓，玉龙东驾，天外清风徐引，梅边香风袭人。鹗心绪恍惚不堪，起造红梅阁上，即见仙宫所赋之诗，皆题壁上，墨迹未干。复望阁下，红梅花开满枝，唇轻点绛，面莹凝酥；稍南一枝，独出群花之外。鹗曰："夜来所言折取南枝，此身坠于阁下，情人何在，不得同归！"遂大怒，欲折之。其枝稍高，手不能及，便阁下呼一使，令折取。其花忽堕数片于阁前，次第相成一韵：

> 昨夜蓬山共赏春，惜香怜玉最相亲。东风好与花为主，可折南枝赠故人？

王鹗看诗未毕，其使将南枝折下矣。

鹗将花枝持归书院，以瓶贮之，痛惜流涕。

是夜，闻人扣窗，鹗料是笑桃之来也，乃出迎之。见笑桃蹙眉皱黛，粉褪红销，举止无聊，语言失序。鹗惊谓曰："仙子何为苦恼狼藉如此耶？"笑桃曰："为君坏我南枝，今妾何计归故园邪？侍女分离，妾欲以侍情郎，郎有堂君在上，必不相容，进退无路，去止两难。"王鹗曰："既无归路，正契仆情，幸谐同衾共枕之乐，安得有再来忽去之理？"笑桃曰："两人同心，誓不殊改，岂不知桑中之奔为女子之耻，不告而娶为男子之非乎？"鹗曰："父母虽严，心常爱我，以我恳告，必相怜悯。倘得允从，与子偕老，实所愿也。"仙子曰："若谐素愿，与子相偶，不惟大有益于君，令君取富贵如反掌耳。"鹗曰："愿得成双，何言富贵乎！"

鹗遂入阁拜夫人。夫人曰："何谓也？"鹗曰："见有犯理之事，冒罪恳前。数日前遇仙女，已许鹗为配偶，其缘已谐，既无损于身，且有益于儿，为天上之仙俦，非图人间之富贵。伏愿容许，以伴读书，而亦可进取，誓不别娶。"夫人惊曰："儿想被妖精之所惑，故来发此狂言。果是神仙，岂染此凡俗？汝且远之，勿以介意。久则夺尔神气，坏尔形质，死在须臾，堕入鬼录。父母养尔成气，袭箕帚之业，惟知汝心何为如此也！"

夫人告于谏议，谏议曰："我有法术，能制妖祟；从鹗之言，请试之。乃备大礼以迎新妇，大会宾客，先求有道仙官书灵符，候新妇至，和降真香、沉香而焚之。果是神仙，何得畏惧？若是妖邪，岂敢进前！"

遂择日与鹗纳妇，书请群僚，云："新妇幼小，养在宅中，今日长成，宜其家室，故请同僚同光此席。"众僚各备礼相送，谏议辞不受贺。乃集众官寮属，酒已三行，及烧斩邪符箓，焚降真沉香，令新妇出。笑桃同鹗拜于筵间，亦无所惧。新妇乃顶玲珑凤冠，摄玎珰玉佩，长衫大袖，淡饰雅妆，绣履踏月，纨扇掩面，侍女扶持，相参礼拜，从容中度，殊无失节。合属官僚皆称贺。众议曰："新妇新郎，真神仙中人也。"须臾，左右侍从捧玳瑁盘，进百花鲛绡两端，上奉翁姑；遗梅脑一盒，以奉众上，香味袭人，非凡间之物。郡中士夫百姓，皆欢欣鼓舞。宴罢宾客，谏议谓夫人曰："我家三世奉善，誓不杀生，处事平正，传家清白，以慈祥接下，天遣仙女以配吾儿，果无疑矣。"自是养亲以孝，勉夫以学，也言有文，治家有则。

当年朝廷选士，鹗以进身为重，昼夜攻书，忘餐废寝。笑桃谓鹗曰："何苦如此？"鹗曰："进取之法，以苦为先。正扬名以显父母之时，苟不劳心，实为虚度此生矣。"笑桃曰："我为君先拟题目，令君得预备应试，可乎？"王鹗曰："试官不识何人，子却先知题目，亦不妄邪？"笑桃遂怀中取出三场题目示鹗。鹗曰："子戏我乎？"笑桃曰："君勿见疑。"鹗遂日夜于窗下按题研究主意，操笔品题。数日间，思索近就。笑桃谓曰："君文虽佳美，愿为君赋之。"略不停思，一笔而就。引古援今，立意造辞，皆出人意表。鹗惊异之，叹曰："真奇绝尘世！"遂熟记焉。试期之日，鹗别父母及笑桃而行，笑桃谓之曰："前程在迩，切勿猖狂。"

鹗到东京，领试题，皆笑桃所拟者。就便上卷，并无涂抹改易。主考咸称"文章老健，必有神助之者"。称为奇才，大魁天下。

鹗既得意，泥金之报，殆无虚日。忽御笔诏授眉州签判。鹗归辞父母亲戚，携笑桃之任。前眉州太守已替，新太守未来，遂权郡印。

忽一日，有守门吏报云："有一秀才，姓巴名潜，言与权郡有亲，故来相访。"遂至厅上，乃见其人顶平目深，高唇长舌，鬓卷发长，其容貌虽粗俗之常人，其言语乃文章之秀士，一进一退，灿然有礼。王鹗曰："素昧平生，有何姻眷？"秀才曰："潜本巴郡人，寄居眉州三峰山下读书，积有年矣。为与汝夫人有亲，故至于此。一日权州到任，失于探问，不得讲探亲之礼，幸恕狂率。请略告夫人。"

鹗遂入宅，谓笑桃曰："有一秀才，姓巴名潜，言与夫人有亲。"笑桃闻之情思不乐，谓鹗曰："彼乃妖精，急以剑击之！"秀才见鹗急来，有杀气，指鹗谓曰："汝妻是我妻，未蒙见还，反欲害我。"便下砌走。鹗急遣人追之，不知所在。

鹗谓笑桃曰："彼何故有此事？"笑桃谓鹗曰："君相遇情好，恕妾之始末，不可不谕。妾乃上界仙花一枝红梅也，身已列于仙品。时西王母邀上帝，设宴，令仙苑群花尽开，以候上帝之观望。时妾适因群仙宴，酒醉未醒，有违敕旨，遂得罪，便令人将妾自天门推下，随落三峰山下。妾既推下，残命未苏，久之，遂依根于石上，附体于岩前，迎春再发，以候赦而复归仙苑。不意所居之地有一巨穴，中有巴蛇。此畜寿年千岁，乃聚土石之怪、花木之妖于洞，恣逞其欲。妾乃被胁入洞中，欲效欢娱。妾乃仙花，誓死不从。此畜爱妾貌美，又且畏天行诛，监妾于后洞。一日，此畜归巴中看亲，妾乃乘间走出洞门，复归三峰山下。斯时太守张仕远适来此山，见此红梅一株，香色殊异，乃移妾栽向阁之东。栽近月余，巴蛇归穴，探知其事，欲谋害张仕远以夺妾。张公乃正直之人，尝有鬼神拥护，无可奈何。一日，张公解任，除唐安郡守，爱妾此花，携之入蜀，栽于唐安郡东阁内。张公解任之时，则妾已得地，本固根深，不容转移，于是久住于蜀。妾遇君时，有姊妹数人，虽群花之仙，非品格之仙也。而妾乃居南宫，君旧折我南枝，曾为堕落。自此南宫既坏，我无可依。配君数年，男女已长，妾亦尘缘将尽，复居仙苑，异时为天上人也。"鹦闻之，乃思前日诗意折花之谶，劝勉笑桃，幸无介意。

　　后数日，群僚请太守众官合宅家着聚往三峰山下游赏。笑桃闻邀同往，不肯前去。王鹦强之。至三峰山下，妓女列宴，笙歌满地，游人欢悦，车马骈阗。至暮，忽一阵狂风吹沙拔木，天地昏暗，雷奔雨骤，人皆惊避。乃见一大蛇从穴中而出，官吏奔走，鹗亦上马，令左右卫护宅眷以归。须臾，有一骑吏驰至宅内，急报太守："有一大蛇，形如白练，拥了宜人轿子入穴。"鹗举身内扑，哭不胜悲。

次日，令人往三峰山下寻觅踪迹，惟有红履在地。王鹗曰："此乃孽畜所害。"计无所施，乃急修书以报父母。

一日，郡中有一先生，衣鹿皮衣，来郡衙求谒。门吏不肯通报。先生叱门吏，直至厅前。先生揖云："知权州有不足之事，贫道故来解之。"鹗曰："我之不足，君安解之？"对曰："巴蛇害人性命，何不杀之？"遂请至阶，及坐，问："先生有何术可以御之？"曰："来日与君同往三峰山下。"

乃以壮士百人，直至穴前。先生画地为坛，叩齿百遍，望天门吸气，吹入穴中。须臾，穴内如雷声，其蛇乃挺身从穴中而出，身长五丈余，赤目铁鳞，一见先生，欲张口吞之。先生大叫一声，震动山谷，其蛇乃盘绕。先生取下瓢，下火数点。须臾，火起十余丈，旋绕大蛇于火中烧死，白骨如雪。先生乃取火丹入瓢。鹗曰："感荷先生大恩，今孽畜烧死，已报其仇。欲得宜人尸骨归葬，吾愿足矣。"

先生遂与鹗领军士入洞中。行至一里余，见洞中峥嵘，朱帘半卷。先生将入其门，见仙洞高明，花亭池沼，绝无鸟迹，唯乱花深处，乃有群女出焉。笑桃亦在其列。鹗见笑桃，唤曰："王鹗来寻宜人。"笑桃答曰："妾在此

无恙。"鹗遂与笑桃并众人出穴,一同拜谢先生。先生曰:"今日之事,满吾愿也。吾非凡人,乃三峰山下万岁大王。为孽畜居穴中,累被他害,终不能报,遂往名山拜求神仙,欲觅方术,蒙仙师授我火丹之诀。"言罢,只见大虎踊跃,大叫于三峰山下,先生忽然不见。

王鹗乃与笑桃并轮归州,郡僚宴贺。

未及半年,忽有吏报云:"家有书至。"鹗开视之,其中云"汝可归毕姻陈氏"事。时笑桃在旁,见书泣曰:"妾不负君,君何负我?"鹗曰:"我前日修书奉父母,宜人已被害,而敬以达之父母,盖深惜痛之也。不意父母念我远宦,为结陈侍郎家婚姻,不知宜人复为先生救出。今当再修书以报父母知之,则可以速退陈侍郎家婚姻也。"笑桃曰:"不可。前日报妾已死,今日报妾复生。若退陈氏亲事,则必问其事之由。既说巴蛇所驱,人必疑巴蛇所生子女之辱,当何言哉?有何面目归见翁姑?妾已随君有年,子女俱已长成,世缘已尽。妾所居南宫之地,今复修成,妾当归矣。君宜念妾所生子女,宜加保护,毋以妾为

念。君若不弃，异日红梅阁下再叙旧欢。"言讫泪下。王
鹗子女相抱而泣，不胜其悲。笑桃辞王鹗，下阶，衣不曳
地，望空而去。鹗追不及，抱子女哀哭，昼夜不绝。郡中
闻者，皆为哽咽。

　　鹗愁肠如结，离恨如丝，携子女以入房，痛鸾凤之折
伴，遂将郡印帖于僚属，乃携子女还家，以构陈氏之好。

　　鹗虽再娶，而意不满所怀，遂嘱托朝宰，改任向蜀。
未几，诏授唐安郡尹。鹗喜，趣装，携子女之任。

　　未及半月，早到唐安。骑从拥后，旌旗导前，竹马来
迎。受贺方毕，遂载酒肴，携子女，直诣红梅阁上，叙旧
日之情。花艳重妍，鹗乃指梅谓子女曰："母当时临别约
我来也。区区既到，何得无情？"子女号哭，鹗亦伤心，
乃题诗于壁以记云：

　　　　宦游何幸入皇都，高阁红梅尚未枯。临别赠
　　言今验记，南枝留浸向冰壶。

　　鹗乃画一轴红梅仙子，永为奉祀；伏愿男登高第，女
嫁名家，地久天长，流传万古。

相 思 记

　　洪武元年，有冯琛者，字伯玉，成都府人也。其父冯
缊，为元朝先锋，生琛于金陵，时至元六年庚戌岁。父
丧，生幼恃伊舅氏养育。长至总角，颖悟聪明，词章翰

墨，与世不相侔，特出乎人表。

　　未几年，南北盗起，生奔走流离，浪迹江湖，飘至临安府。时直殿将军赵或见生，大奇异之。赵公无子，遂收为己子。生事之如亲父。公有女名云琼，幼丧母，公命庶母刘氏育之。年至一十三岁，同生延师教之。生愈加恭敬如亲妹，而琼视生亦如亲兄。

　　一日，生因思干戈不宁，恻然有感，赋诗以呈师云：

　　　　两虎争雄势不休，回头何处是神州？一朝鼙鼓喧天动，万里尘埃匝地浮。白日豺狼当路道，黄昏烽火起边楼。何时南北干戈息，重睹君王旧冕旒？

其师诵毕，自称曰："此子日后有大志，非常才也。"赵公亦喜。

　　将二载，刘氏以云琼年长及笄，遂乃令入闺房，习学女工。

　　一日，生在书馆独坐，见春风明媚，蜂蝶交飞，不觉惆怅，吟一绝云：

　　　　桃花如锦草如茵，妆点园林无限春。蜂蝶分飞缘底事？东君应念断肠人。

生吟毕，云琼在书馆后游玩，听其吟诗，有惆怅之意，悒快不乐。

越数日，百花亭前牡丹盛开。琛往观之，琼亦在彼，遂同玩赏。琼同曰："'东君应念断肠人'，为谁作也?"生笑而不答，又将牡丹花为题，吟诗一首云：

> "娇姿艳质解倾城，似语还休意未成。一点芳心谁共诉，千重密叶苦相同。君王爱处天香满，妃子观时国色盈。何幸倚栏同一赏，恨无杯酒泛芳馨。"

琼见诗，知生意属于己，乃一笑，叹息而去；回头顾生，惟不言焉。

生自此之后，见其姿容秀丽，其心不能自持。琼娘此后亦无心针指，时出游戏消遣。见蜂蝶纷纷，景物繁华，赋诗一首云：

> 春色平分二月时，弓鞋款款步莲池。九回肠断无由诉，一点芳心不自持。灼灼奇花留粉蝶，阴阴枯木啭黄鹂。晓来闷对妆台立，巧画蛾眉为阿谁?

琼有侍女韶华，颇巧慧，能讴诗，见琼长吁短叹，识其意而不敢问。一日，偶过书馆，生戏之曰："我万里无家，一身孤子，子与我结为兄妹，何如?"韶华答曰：

"贱妾卑微，何敢投君子？"生曰："无伤。"二人即拜为兄妹。自此之后，与生来往甚密。

一日，生问曰："连日不见琼娘，果恙乎？"答曰："娘子近来得一疟疾，倚床作《望江南》一阕。生曰："愿闻。"韶华诵云：

> "香闺内，空自想佳期。独步花阴情绪乱，漫将珠泪两行垂，胜会在何时？　恹恹病，此夕最难持。一点芳心无托处，荼蘼架上月迟迟，惆怅有谁知？"

韶华诵毕，别生而去。生知琼有意于己，潸然泪下。

次日，赵公会宴，琼侍父侧，虽然视目往来，不能通得一语为憾。生归室，见宝鸭香消，银台烛暗，愁怀万斛，展转至晚，乃赋一律云：

暗思昨日可怜宵，得见佳人粉黛娇。银海晓含珠泪湿，金莲微动玉钩摇。谢鲲从折机边

齿，弄玉空吹月下箫。一笑倾城殊绝代，宁教不
瘦沈郎腰！

一日，生与韶华曰："我有手书一缄，烦汝送与琼娘，
幸勿沉滞。"韶华接去，乃潜纳于镜奁内。

次早，琼娘梳妆见书，视之，乃《满庭芳》词，云：

蝉鬓拖云，蛾眉扫月，天生丽质难描。尊前
席上，百媚千娇。一点芳心初动，五更情兴偏
饶。诉衷肠不尽，虚度好良宵。

秦楼明月夜，余音袅袅，吹彻鸾箫。闲敲棋
子，愈觉无聊。何时识得东风面，堪成凤友鸾
交？凭鸿雁，潜通尺素，盼杀董妖娆。

琼娘读毕，怒责韶华曰："汝怎敢传消递息？我与夫人说
知，必难容矣。"韶华悲泣哀告。琼意稍解，乃曰："舍
人何以知我病，送药方与我？当以实对。"韶华答曰：
"向者舍人与妾言曰：'我四海无亲，欲与结为兄妹'。当
时妾惶愧不敢当。复问：'娘子无恙乎'？妾曰：'因病，
稍安'。妾复读娘子《望江南》词与听，舍人不觉泪下。
至晚，以书令妾达焉。"琼曰："我虽未愈，不服此药，
亦不可辜其美意。我回一缄以谢之。"

韶华即候琼作书毕，以诣生室。生见韶华，甚喜。生
执观之，乃和《满庭芳》一阕，云：

短短金针，纤纤玉手，闲将缓带轻描。描鸾刺凤，想象剔还挑。不觉黄昏又到，谁知玉减香消。鸳鸯思转辗，又忽至中宵。

　　阳台魂梦杳，彩鸾归去，辜负文箫。美人生几，行乐陶陶。何日相逢一面，樽前唱彻红绡。知此时，芳心动也，愁杀盖宽饶。

生视毕，不觉失魂丧志，莫知身之所在。

　　琼曰："彼时以我病愈，兄妹之情，喜之。"当时，韶华颇疑之，退而叹曰："人生莫作姜婢身，城门失火，殃及池鱼。后必贻祸于我矣！"自此，非堂前有命，不出于外。琼虽意恋，无由相会。

　　生自此之后，竟不得见，憔悴疲倦，饮食减少。夫人刘氏时加宽慰，生但俛首而已。

　　一日，夫人与侍妾数人，于后花园迎风亭上观赏荷花。琼推疾不出。夫人去后，琼潜至生室，问曰："兄何羞乎？"生泪下，不能答。琼曰："万事由天定，非由人矣。兄何故如此？尝闻夫子曰'贤贤易色'，古圣人所戒。"生曰："钻穴逾墙，吟琴折齿，妹独不知？"言未终，侍妾报曰："夫人至。"琼曰："且与告辞，情话难尽。翌日牛女佳期，妾当陈瓜果，暮与君登楼乞巧，以占灵配。"生诺。

　　至期，生乃赴约。刘氏命琼在堂行酒，亦召生与宴。

不胜懊恼。仰观其天，轻去翳月，乍明乍暗，织女牵牛，黯淡莫辨。忽听樵楼鼓已三更，乃赋诗曰：

几度如梳上碧空，缺多圆少古今同。正期得见嫦娥面，又被痴云半掩笼。

次日，于堂侧偶见云琼，生以此诗示之。琼亦吟一绝云：

"停杯对月问蟾蜍，独宿嫦娥似妾无？今日逢君言未尽，令人长恨命多孤。"

琼自后作事，闷闷不已，女工之事，俱无情意。患病数日，家人惊惶，乃白刘氏。

夫人即唤韶华，曰："汝知娘子病源乎？"韶华不敢答。夫人问之再三，华无奈，只得白诸夫人，乃曰："娘子与冯官人相见之后，至今三好两怯。"

夫人即与公曰："尝闻男冠而有室，女笄而有家。今琼年二十，闺房之事，想已知之。自琛居于门下，亦有年矣。而琼岂无思念之心？妾观动静之间，俱有不足之意。不如早纳琛为婿，庶免彰人之耳目。"公大怒，不允；寻思良久，曰："依汝之言，必无惑矣。"时韶在侧，奔告于琼。琼令华告生。生喜，赋诗一首贺云：

昨日窗前问简篇，银钮双结并头莲，当时似此非容易，今日方知岂偶然。红叶沟中传密意，赤绳月下结姻缘。从前多少心头事，尽付东流水一川。

翌日，公或探生。生曰："投托门下，多蒙厚意，敢效结草之恩。"公曰："吾欲纳汝为婿，不知可乎？"生曰："既蒙有命，安敢不从。"遂喜而退。

越十日，公命媒妁行聘为婿。至期，屏开孔雀，褥隐芙蓉，花烛荧煌，歌弦管沸。生与琼拜于堂，一如神仙归洞府，郎才女貌世间稀。

饮罢，筵散，生女入洞房。象床瑶席，凤枕鸳衾。生与琼曰："昔慕娘子之心，每于花前月下，抚景伤怀。今日至此，非天缘何如！"琼曰："遇君之后，行无定迹，寝不贴席，今日天随人愿，获侍巾栉。但愿君子始终如一，则万幸矣。"琼拟蜂恋蝶意，遂以词云：

翠荷丛里鸳鸯浴，碧桃枝上鸾凤宿。花烂枝上柔，俄惊一夜秋。百岁共和谐，相看奈汝何。

生亦口占《减字木兰花》词云：

调云弄雨，迤逦罗帏同笑语。春透花枝，一时相怜相爱，还了平生债。鱼水欢情，发下青丝结誓盟。

越月，公被召，促装赴京，嘱托生家事而别。

越三月，公奏曰："臣老，不堪用。有婿冯琛，素怀异才，臣荐为国，非私也。"上大悦，遣使召生。

生与琼曰："蒙旨征召，暂与相别。"琼曰："相会未几而又遽别，奈何！妾闻金陵胜地，多有歌楼妓女，切不可以留恋。"生曰："噫！卿误也。我心犹如冰玉，后当自见。"言毕，即促行装起程。

琼令韶华备酒，饮别于郊外。琼握生手，相视大恸。生亦呜咽。琼曰："君今弃妾，妾无负于君。"生曰："今日之行，出于无奈。卿有是言，殆非以为陌路人邪！"琼曰："君无二心，妾何以报！"口占二首以赠云：

> 鱼水欢娱未一秋，临岐分袂更绸缪。诉君不尽衷肠事，惟有潸潸珠泪流。
>
> 香闺绣幕恨悠悠，一片离情不自由。争奈君心似流水，滔滔东去不能留。

生亦吟一律以答之：

> 懒上雕鞍闷不胜，此心如醉为多情。空垂眼底千行泪，难阻天涯万里程。最苦凄凉冯伯玉，可怜憔悴赵云琼。男儿且学四方志，铁石心肠作

广平。

思琼情不能已，又作
《茶瓶词》云：

　　忆昔当年相会，
共结百年姻配。枕
边盟誓如山海，此
意千载难买。
恩和爱，知何在？
情默默，有谁揪采？
妾心未改君先改，
争奈好事多成败。

吟毕，痛哭不舍。

　　生又扶琼至家，嘱韶华劝慰。次早，不令琼知而去。
琼晚见月界窗痕，风鸣纸隙，举目无亲，因作《临江
仙》词云：

　　明窗纸隙风如箭，几多心事多忘。茶蘼架下
见行藏。交加双粉蝶，并肩两鸳鸯。　　岂知今
日成抛弃，尪羸减玉销香。谁与诉衷肠？行云空
缥缈，恨杀楚襄王。

生行不觉月余，未尝不思琼也。及见京畿将近，偶成一律云：

　　冉冉时光日似梭，相思无计欲如何。五云缥
　　缈皇都近，万里迢遥客恨多。愁望银河有织女，
　　飞魂阆苑问仙娥。金陵漫说花如锦，一点芳心只
　　自和。

生行至金陵，见上于奉天殿，上甚爱其才，即日除授为起居郎。一日出朝，因见便人，作书以寄：

　　云琼娘子妆前：拜违懿范，已经月余，思仰
　　香闺，动静行止，未尝离于左右。迩来未审淑候
　　何如？琛至京，蒙授起居郎。谁料非才，幸际风
　　云之会，得依日月之光。偶因风便，封缄以寄眷
　　恋之私云。

琼得书，一喜一悲。贺者填门，琼悲号不已，刘氏命具杯酌，弦歌宽慰。琼编《驻马听》，命韶华讴之，闻者莫不凄惨。自兹命无聊赖，鸾孤凤只，竹瘦梅癯，面似梨花带雨，眉如杨柳含烟。因风凉月冷，影只形单，赋诗一律云：

　　夜深独坐对残灯，默默怀人百感增。愁肠百

结如丝乱，珠泪千行似雨倾。月照纱窗光皎皎，风摇铁马响铃铃。总藉夫人宽慰我，金樽漫有酒如渑。

素娥善能言语，一日对琼曰："妾闻西湖鸳鸯失侣，相思而死，何谓也？"琼曰："汝戏我乎？"曰："既知，何不自思？"琼曰："汝不闻李白云：锦水连天碧，荡漾双鸳鸯。甘同一处死，不忍两分张。"素娥曰："谁无夫妇，如宾似友，至于离合，故不可测。《关雎》诗曰'乐虽盛而不失其正，忧虽深而不害于和'，是以传之于经。娘子朝夕哭泣，过于哀怨，倘有不测，将如之何？望以身命为重。"琼意稍解。恐生心有异，不能无疑焉，乃作古风一章以自慰云：

忆昔与君相拜别，三月鹃声哀夜月。鸳鸯帐里彩鸾孤，惆怅良人音信绝。妾心如水水复深，妾泪如珠珠溅血。深院无人春昼长，几回独把湘帘揭。湘帘揭起双飞燕，燕燕差池相眷恋。令人感动心益悲，欲寄征鸿飞不便。文君空有白头吟，婕妤漫赋齐纨扇。君心若似我心同，妾亦于君复何怨！

琼作虽非怨悔，相思之心殊切。抚景兴怀，时无休息。伫见征鸿北去，乌鹊南飞，寒蛩在壁，秋水连天，桐风飒飒，桂月娟娟，香残烛暗，枕冷衾寒。斯时也，空闺寂寂，人各一天，经年累月，有谁见怜？遂作《满庭芳》词云：

　　皓月娟娟，青灯灼灼，回身转过西厢，可人才子，流落在他乡。只望团圆到底，反属参商。君知否，星桥别后，一日九回肠。

　　相思无尽极，惨云愁雨，减玉消香，几回梦里飞扬。犹记山盟海誓，地久天长。春已老，桃花无主，何日遇刘郎？

题毕，谓韶华曰："古之女，亦有如我者乎？"答曰："有之。如秦氏之丧身，姜女之死节，皆如此也。然悲欢离合，亦自古有之。若不惜其身，至于殒绝，亦或有之。"琼曰："汝之言，我非不知，但恨与生会合未久，遽成离别，恐作王魁负桂英也。"因而赋歌一首云：

　　黄昏渐近兮，白日颓西。对景思人兮，我心空悲。云归岫兮去远，霞映水兮呈辉。倏无光兮黯淡，月初出兮星稀。叹南飞兮乌鹊，绕树枝兮无依。人凭栏兮徒倚，追往事兮嗟吁。香消玉减兮，颜落色衰。陟高庭兮眺望，仍凝思兮迟迟。霜凋残兮落叶，雨滴损兮花枝。花委谢兮寂寂，叶辞柯兮凄凄。恨关山兮路远，极望兮天涯。自勉强兮假寐，风飒飒兮吹衣。奈好梦兮杳渺，忽惊觉兮邻鸡。何妆台兮抑郁，临宝镜兮惨凄。一鬈云鬟兮，为谁梳洗？兰心蕙质兮，空自昏迷。睹双飞兮粉蝶，听百啭兮黄鹂。何人生兮不若，嗟物类兮如斯。愧年少兮多别离，望美人兮空踟蹰。

韶花观其吟，亦掩泪，谓琼曰："娘子之意，恐生有'富易交、贵易妻'之谓也。若此者，可令人赍书与之，以察其动静可矣。何乃孤眠独宿，行吁坐叹，而自苦若此邪？"琼曰："书，不必也，自生别后，有诗十余篇，并录寄赠，以见我心。"即日遣家童，赍书抵京。

生得书，不胜欢喜，展而读之，皆琼之佳制。云：

泪雨汪汪洒满衣，含愁强赋断肠诗。自从昔日相分手，直至今朝懒画眉。东阁尚怀挥翰墨，西园犹想折花枝。自君一去无消息，独对青铜怨别离。

生读罢，不胜悲咽，遂差人接琼抵京。

琼谓韶曰："我今将去，汝从我去何如？"韶曰："妾幼侍夫人，居于内阁之中，亦生死相随。今夫人将行，妾愿随侍。"即日治装而去。

直抵金陵。离城五里许，生已预在郊外等候。琼至，既见，生曰："一别许久，不想今日复见仪容。"琼再拜谢，曰："妾女流也。不知礼法，荷蒙君子不弃，誓同生死。"言毕，即令乘轿归衙。

重寻旧约，再整前盟。生喜，赋诗一律云：

　　　　朱颜一别已经春，两地相思各惨神。失意如今还得意，旧人偏觉胜新人。颠鸾倒凤情何洽，誓海盟山乐更真，寄语司天台上客，更筹促漏莫交频。

绸缪间，不觉五更至矣。生整衣冠而进朝。

俄闻倭夷有警，上赐生为靖海将军。生即日承命，至衙，谓琼云："吾奉君命，领兵收贼，料有一载之别。汝保重。吾不敢久留，以缓君命。"于是率凤阳精兵四万，上亲劳军士。同兵部尚书于斌，左平章廖禹，复率羽林卫五十八万军马，旌旗蔽野，水陆并进。

生之英风锐气，时与倭夷鏖战。倭夷诈败佯走，生兵追之。倭度其半入，以精兵五十万，出其不意，同别道尾其后。官军溺死者无数，江水为之不流。生呼谓众曰：

“今天败我，非众人之罪也。第无以报效！”

生复招集残兵，整顿军旅，身先士卒。众乃奋身戮力，与敌鏖战，无不一以当百。倭夷大败。生喜曰：“不意天兵之果锐也如此！”倭夷遂遣使称臣求和。生恐有变，许之，奏凯而还。

上得捷音，天颜大悦，谓宋景曰：“以羸败之兵入危险之地而能克敌者，皆卿之举荐得其人也。”景稽首拜曰：“遇臣无琛之明敏果断，一得其人，不负臣下之望。”上曰：“古有社稷之臣，今冯琛近之矣。”

生引兵入玄武门。上召生入丹陛。上慰劳之曰：“克战之功，出于卿也。”生拜曰：“陛下顺天行道，御物无私，臣下奉行政令而已，何功之有！”上即敕生为镇国大将军，赐剑履趋朝。云琼封为赵国夫人，金冠霞帔。夫荣妻贵，近臣未有。

夫何盛极有衰，天年不远，洪武七年甲寅岁十一月初一日壬戌，薨。病重之夕，执琼手云：“吾负汝矣。路隔幽冥，不一相见也。”急呼家童燃灯，取笔题曰：

> 九泉未敢忘恩爱，一死无由报主恩。君命妾
> 情俱未了，空留怨气塞乾坤。

琼曰：“君无忧也，不久当相见。”言未毕，生卒。

次日，大夫宋璟奏闻。上曰：“天何夺吾伯玉之速也？”命礼部官具棺椁，拟以王礼祭之。赠明仁忠烈成安

王。

越十五日丙子，琼亦以忧思，不进饮食而卒。敕赐合葬于采石之阳。

越一月，御祭。墓碑丹书，命陶凯篆刻，宋璟作序。

有子二人。长曰明德，娶尚平公主。次子明烈，娶廖禹之女。是为记之。

蛤蟆吐丹记

天顺时，青川孔天祐，性酷好仙，常遇黄冠及名山大川。宫观真像，即虔礼之。进古太山回，遇一老人，黄冠杖履，呼天祐曰："子好道乎？"曰："心诚好之，但未得入道之门耳。"老人曰："汝知炼蛤蟆之术否？"曰："不知。"老人袖取一缄与之，曰："功满三年，蛤蟆忽失去。再逾三年，道可成矣。勉之！勉之！"

天祐意老人异人也，不敢轻启其封。至家，焚香，始开之，内皆符咒诀法。遂择日取蛤蟆，依法修炼。每咒，则蛤蟆开口；烧符，则吞之。

遂精心炼及三年，忽不见。又三年，复回，生两翅，身赤，能飞。语告天祐曰："昔授子术者，乃中宫上德真君。予吞符限满时，有老人在黄云中召我，不觉一跃而至其前，袖我而去。去上六菜花山黄鹤洞，受戒三十六月，始命我吞坤精丹，饮无极水。赤身生翅，能御风云，瞬息千里，亦得与天同寿矣。真君许我度子后，令入月宫为蟾蜍伴也。"言毕，委首张口，吐二丹，金光绚耀，复语曰：

"五月望，天道吉日，一丹子食之，一丹可烧以茅山芝，便成鹤，骑赴南泉，自有金童为子导也。"嘱罢而飞入云中，渺而不见。依其言，遂仙去。

　　弘治十八年，邻人张四老见其与黄冠道士在太山游。

卷九　金兰四友传

　　时海宇奠安，民物康阜，祥光拱瑞，文学联辉，而崇尚风情雅义者，此时为最。赵州有李生名峤者，字巨山，父岳，任浔州刺史，母赵氏怀孕时梦神人遗双笔而生。九岁能属文，年登二八，而神气英杰，有清高绝尘之姿，有温柔雅淡之态，平易之中涵蓄无穷，真乃无瑕之白璧，出世之丰采，平生不常有者也。且性敏学博，善于诗赋歌调，非天挺人杰者乎！惟目盼者而倾心爱慕，咸欲纳交而不可得焉。

　　有赵州栾城县姓苏者，名易道，字子游，父贤，任凤阙舍人，母林氏怀孕十二月而生。年弱冠时，貌亦卓雅，赋诗倒三峡之狂澜，议论惊四筵之雄辩。时因访亲，往赵州经过，途遇得睹而切慕之，奈何难以相契，抵家之后常注心目，瞻仰至极，每怀吟风弄月之思。秋日无聊，独吟一律以自纪云：

　　　　虚庭空翠古秋光，倏忽人间一夜长。零露滴
　　开黄菊冷，西风吹散芰荷香。孤灯挑尽难成梦，
　　横笛传声易断肠。遍倚高楼人不见，寒山月色共

苍茫。

又继之以倦，作寻芳词
一阕云：

> 梧桐泣雨，滴
> 作秋声，小院闲书
> 永。木叶飘黄，正
> 是恼人时候。夜悠
> 悠，心耿耿，懒拈
> 兰麝烧金兽。卷帘
> 儿，正凭高望远，
> 几回翘首。　见
> 愁颜满面，瓦盏金

钟，珍珠红酒。半醉醒来，此恨依然还在，泪滴
秋衫招舞袖。寒肌弱体仍消瘦，这情怀诉与谁，
问君知否？

既而秋去冬来，天寒地冻，雪滚风生，独坐孤眠，寂
寥殊甚。正纳闷间，忽有赵州人姓杜名审言，字必简，原
籍湖广襄阳人，祖饮，任赵州刺史，遂世居焉。素有雄才
丰雅，长于吟咏，时往栾城县公干，因借宿于店，会道于
途。请入中堂，问其姓名、居地，宰鸡为黍以待之。与之
论及世故，见其英杰超雅，亦重风情，询曰："贵州有李

生名峤者，公曾会否？"言微笑而答曰："是予之表弟也。
先生何以会之？"道曰："前因访亲，路经贵州，途次相
逢，盼想英容，至今不暇，但未知其人心绪如何？"言曰：
"丰姿则超越绝尘，高出于斯世。论才思，则挥毫赋就，
驰骋于古人。士君子咸见重焉。"道曰："美则美矣，奈
何云山阻隔，无以相逢。"言答："容生回家偕彼来拜，
可乎？"道致恭而谢曰："诚如是焉，犬马当报。"遂口占
一歌云：

> "相思几夜梅花发，瘦影横窗月初白。帘外
> 谁来扣我门，开窗乃见风流客。密意难传今有
> 托，眉头清泪都弹却。一夜相逢百夜心，饮余对
> 月频斟酌。"

歌罢，成一绝以戏之：

> 梅有香兮菊有芳，栽培总不属刘郎。东风欲
> 借吹嘘力，只恐枝头不放香。

道叹曰："以梅菊比人，以刘郎比我，以东风比己，
真可谓吟咏者矣。"越日告别，道以色绢二端、京履一双
赠之。谦辞再三方受。仍置酒饯别。
　　言抵家，闲步峤馆，将前事备述。峤悦然有偕行之
念。

越数日，言与峤同具嘉光绢二端、绒包二幅、京履二双、罗帕二方，命仆随行，径投栾城来拜。道知，整衣出迎。见其色类潘安，温而柔，和而雅，实盖世之英贤也。峤盼道丰标拔萃，纯厚超群，细而沉，清而淡，诚亘古之君子也。遂延入高轩。达礼接谈之际，道喜容舒畅，勃然踊跃，顾盼无暇。二人将赍仪恭献。道曰："下顾足矣，敢纳厚赐乎？"谦让拜领。遂设香醪，列珍馔，极度丰盛。峤见礼仪周密，答问恭敬，有缅想之怀。道盼峤风情秀逸，悬切慕之私。

日暮，峤与言告别，道款留甚殷，遂止之。临夜，筵散，迎入书馆。但见琴书悬架，香喷金猊，藤床绣幕，珊枕暖衾。峤曰："闻先生老于诗学，迢迢良夜，见教可乎？"道答曰："鄙陋庸才，不堪上闻。"诘甚，遂吟一绝：

> "对看风月一帘间，杯酒今宵莫放残。千里
> 有缘须共醉，明朝且莫唱《阳关》。"

峤曰："字字铿锵，句句清奇。"道笑曰："勿哂足矣，何劳过羡？"二人款叙更深，不觉樵鼓四余，言辞就寝。峤灯前卸冠挈珮，微露玉骨冰肌，浑白璧之无瑕，恍琏瑚之新琢。道目触感怀，惶惶有失，趑趄然而隔宿也。

越日，二人又告别。道挽手而止之，曰："敝处有景，名曰涧浦，水秀山奇，四时花草，各逞其丽，苍松翠竹，

古柏琼枝，足以玩目适情。若不见弃，同与一游，可乎？"峤曰："既有佳景，再停一日何妨。"

次日，命仆具壶觞，邀二客同往观焉。遍历佳景，并履岩岸。言曰："胜会不偶，二公俱优文墨，可无一言以记之乎？"峤曰："百木凋零，梅香独喷，请以梅为题。"道先吟曰：

"玉骨冰肌绝点尘，岁寒心事寄何人？当时不做东君伴，肯与风流赠小春。"

峤曰："子建以七步成诗，公不待七步而成，过于子建多矣。"道曰："献丑！勿讶！"峤曰："岂不涉于戏乎！予当一和之。"吟曰：

"玉容清致出风尘，更有余香取可人。万紫千红都让后，陇头先放一枝春。"

峤诗既成，复顾言曰："吾二人既咏，表兄何默然而已？"言曰："二君以梅为题，我意不欲如是也。"即成一律云：

漫携竹杖与芒鞋，笑践天台顶上来。野鸟不惊闲习惯，白云长共赏山杯。怪岭千层峰耸翠，帘前一带水萦回。满天风雨谁收拾，折得梅花两袖回。

道畅然亦成一律云：

> 帘前景致闻今古，载酒冬游莫话迟。赖有云山同意趣，岂无梅菊共襟期？天将好景留人玩，我把风流拉故知。胜概尽堪重拭目，教人何不强题诗。

又奉酒，醉吟一律云：

> "请君满酌酒，听我醉中吟。客路如天远，侯门似海深。夕阳侵古道，白发恋颜新。惟有人间事，须弘济物心。"

或谈笑，或吟咏，不觉红轮西坠，杯盘狼藉，乃起而归。

行至城半，娇容含洞口之桃花，脸衬九重之春色，启绛唇，就途以拜别。道答曰："不厌草舍，更以一宿，何如？"娇曰："固所愿也，但恐贻父母之怀。"道闻其言，不敢强留，遂遣仆驰家问老夫人取云绢一匹、朝履二双、川扇四握。须臾，仆赍物至，亲贡之。二人力让不止，方受。乃趋步送别。回家，叹曰："杜子诚有信之士也，若得此子相契，心愿足矣。"因调《踏莎行》词一阕以娱情云：

春暖征鸿，秋寒归雁，何时再得重相见？闲情俱赴水东流，怪天下与人方便。新恨重添，旧愁难辗，寸心愈报千年怨。不如昨夜莫相逢，山窗寂寂空庭院。

夜深，展转思慕，又口占一绝云：

"寒更承夜永，凉夕向秋澄，离心何以赠，自有玉壶冰。"

道自别峤之后，朝夕企慕，无时少释于怀。越数日，与仆乘舟往赵州回拜。及登岸，辗遇言乡回，挽手问曰："公来何事？"答曰："敬来叩拜，今又值逢，正所谓'天遣香阶静处逢'，诚此之谓矣。"言遂延入中堂，设宴西轩相款。

次日，同往李峤馆内来拜，不遇。道入其书轩，见满架经书，卷插牙签，壁悬焦尾，画

挂孤梅，遂援笔题诗于轴而返。诗曰：

> 十分春色十分香，不属东君与主张。谁画一
> 枝同玩赏，夜来引月到纱窗？

峤至晚归家，其仆告曰："适有一先生同杜官人来拜，
不遇，其人题诗于梅轴而去。问其姓名，笑而不答。"峤
曰："人物何如？"仆曰："标格英伟，神气异常，有清高
绝俗之规模，风流慷慨之气象。"峤未解意，视其字迹，
曰："何人如此之狂妄也？"少顷，一价持柬而至，峤开
视之，乃道诗也：

> "世间会合总由天，千里携琴访少年。寂寂
> 山窗人不见，一堆黄卷带牙签。"

峤曰："你相公来几久矣？"价曰："到此两日矣。"峤笑
曰："画中之诗，谅必苏兄所作也。"遂留价和诗，附答
诗曰：

> 两地暌违各一天，寻湄问息亦多年。今朝正
> 是相逢日，却在人间弄酒签。

价回，将书递上。道见此诗，喜不自胜，风云之志顿释，
花月之怀益增。

次日，峤整衣来拜，兼具柬请。见道醉卧于花阴之下，不欲唤醒，乃题《醉花阴》词一阕于壁间，投柬而去。词曰：

> 孤馆沉沉愁永昼，无奈春寒透。时节欲黄昏，洗盏提壶，饮尽千杯酒。　曲肱醉卧疏篱后，有梅花盈舞袖。梦里暗生香，好个人来，试问君知否？

道醒，见此词，认其字迹，知峤所作。又检视简帖，恨不得与峤相会。因作诗一首，遣价送与峤云：

> 十分消瘦减春光，有恨难除觉夜长。酒盏未倾心已醉，花阴高卧梦中香。孰开竹户迎仙客，谁扫苔阶待玉郎？去后始知君有意，漫题佳句在东墙。

峤见诗，面仆掷地，曰："我非有他意，苏兄何诬人也。"仆回告知，道叹曰："梧桐之拳拳，不足以至凤凰之喈喈。"

次早，峤仆来催请，道托故不往。正纳闷，见书轩之西有一幅画凤，遂题一绝于上曰：

> 几回飞梦绕高冈，吹出秦楼夜月腔。凤鸟不

来徒自悼，悲歌一曲断人肠。

自此之后，峤有不悦于道。请不来，约不至。道无如之何，将此情以告言，曰："生托身门下，将及半月矣。所来实为令表弟故也。夫何向日来拜请，见生醉卧于花阴之下，乃题诗于壁间，投简于几上而去？生醒来见诗并柬，自谓属意于己，因作一律以戏之，复乃面仆掷诗于地曰：'何强诬人也！'后请而不来，事有参商。无可奈何，只得归矣。"言止之曰："公既为李子而来，今不见答而去，则后会难期，徒事远劳也。况好事多磨，俗非谬语，人情反复，理固有然，子何不察？不若暂延数日，待弟少暇，请他与公饮别，然后而归，则今日赴合虽离，而后会之期可约。"道遵依，乃暂止焉。因调《醉东风》词一阕：

津渡难经历，江山非咫尺。几回无路可追寻，思思忆忆。今偶相逢，这番会面又无消息。低头长叹唧，洒泪点胸襟，可怜好事竟参商。闷闷愁愁，风风雨雨，何时是得！

越二日，不意道父遣价特来促归。言及设筵，召峤与道饯别。及至，礼毕，道曰："贤弟如何无情？"峤曰："何以见之？"道曰："向日遗书于子，而对价掷地，非寡情乎？"峤曰："焉敢如此。乃盛价诬言矣。"道知其掩饰，遂不与辩。三人畅饮。酒至半酣，言曰："今日无可为乐，予表弟最善歌，请以作兴，可乎？"道曰："可。"峤曰："何诗可歌？"言曰："《鹿鸣》、《南山》，不必歌也。贤弟可自制《阮郎归》一曲，甚妙。"峤承命而歌曰：

"喜看行色又匆匆，传杯莫放空。珍珠滴破小桃红，明朝又复东。　　催去棹，速归篷，梅花两岸风。月明窗外与谁共？相思入梦中。"

道见词清而圆，婉而亮，侧耳之余，尘气尽扫，信奇才也。宴罢，道辞别。言具潮纱二匹、牙美人一座，峤具色绫一端、广葛一匹、徽扇四握。二人恭贡，道谦让再三方收。临舟之际，各有不忍舍之意。遂作一律并《如梦令》词一阕以别峤焉：

双泪樽前别玉郎，东风何处送归航？月明篷底江风发，梅压枝头两岸香。密意却从流水去，幽怀只望老天偿。来朝归却都城市，水远山高几断肠！

又词曰：

托迹重门深处，引起春情愁绪。轻云薄雨难

成，佳会又为虚语。归去，归去，寂寞良宵虚度。

峤见道有眷恋之切，亦增感慨，遂吟五言一律以答焉：

"银烛吐青烟，金樽对绮筵。离堂思琴瑟，别路绕山川。明月隐高树，长河没晓天。悠悠歧路去，后会在何年？"

言见二人惆怅不已，亦作五言一律云：

相见楚天外，梦绕楚山吟。更落淮南叶，难为两地心。衡阳问人远，湘水向君深。欲逐孤航去，茫茫何处寻！

三人留恋至晚而别。

道抵家，慰安父母，默归书馆。又见尘蒙几案，愈加郁闷。终日惶惶，如有所失，经史无心，惟寻便与峤相会。

中国古典小说

十大禁书

430

一日，偶有赵州人来，道询知，即附一诗与李峤。其人回即送与峤。峤拆视之，不忍释手。诗曰：

冬冷山头树拂云，布衾难暖梦难成。寂寥夜夜浑无伴，空有梅花衬月明。

既而，冬去春来，鱼沉雁杳，又作一绝并《一剪梅》词一阕，遣价送去与峤。诗曰：

红满枝头绿满陂，恼人天气正斯时。寻花无奈香街远，望柳多嫌烟径迷。密意难凭莺燕诉，幽情谁许蝶蜂知？何人为我传消息，未赠黄金且赠诗。

词曰：

花有清香月有阴，花影重重，月影沉沉。相思无语只狂吟，愁也难禁，恨也难禁。　欲托焦桐诉此情，未遇知音，难遇知音。何时密意共情深，金也同盟，石也同盟。

峤见仆至，甚喜，询及相公起居安泰，遂拆封读之。及知道心意甚坚，即和诗一律并绝句以附答云：

倚栏偷泪湿花枝，一日思君十二时。辗转竹床春梦短，高烧银烛夜眠迟。心投金石人难识，意托焦桐我自知。一段好怀无可诉，彩毫题就断肠诗。

又绝句云：

花自舒红柳自青，上林春色又妆成。于今酿得真珠酒，来共花阴酌月明。

道见仆归，拆开得此佳句，自谓陈雷之义可踵，鲍管之交可继，奈山川阻隔，切切难合。鸟啼花落，每愁岁月之易迈；物换星移，又恐光阴之虚度，乃调《西江月》云：

记得当初会语，徒劳千里移琴。今朝遗我羽林音，却是多情有分。又值风柔雨重，何堪屐矮泥深。这回无路可追寻，只恐花飞散影。

一日，有崔生者，名融，字安成，亦居宦裔，与道甚契，来拜。款叙间，忽间壁上有《西江月》之词，寻思良久，曰："此词固佳，似有闲情未遂之意。"道以实告之。融曰："此奇遇也。何不图之？"道曰："心绪恍惚，无计可施。兄有高见，请以告我。"融曰："借言赵州求师，此决就矣。"道得其言，大悦，设馔畅饮而别。

次早，告于父曰："儿闻赵州出一名师，欲往求教，可乎？"父曰："份所当然，何必告我。"道得言，益增欣慰。越二日，即整琴剑行装，遣仆前往赵州。

及至，先拜杜审言，曰："余闻贵州有名师，特来请教。"言答曰："有。"道曰："何姓何名？"言曰："姓林，名子山，字汝重，其人精研五经而老于《春秋》，诚儒林中之翘楚者也。今于本州设馆，从游七十徒，表弟亦在列焉。况兄又治《春秋》，从之岂无所益耶？但未知贵馆在何处？"道答曰："才到，未曾有定。"言曰："若然，吾有小轩，近在邻间，僻静，最堪寻绎，倘若不弃，可居于此。"道大悦，遂往居住。

越一日，峤衣冠济楚，来拜。各诉间阔之情。道此时不能自警，就挽抠求欢。峤勃然变色。道曰："子之言词，何不相顾耶？"峤曰："何谓也？"道曰："子前者遗书于我，一者心投金石，二者意托焦桐。今又如是，与诗大相背矣，非不顾而何？"峤曰："前诗聊以兄愁，岂有他哉！"道曰："然则谓肠断者，何事？"峤含羞不答。眉黛交红，即辞而去。自是不临书馆。

道无可奈何，朝暮长叹而已。言知觉，往视之，见其颜色清减，饮食俱废，恐其成疾，乃谓曰："兄谓择师而来，夫何流连至今，亦已久矣，并不见施行，何也？况槐黄在即，当思际会风云，以拾青紫。大事不图而慕一少年以成疾，此非大丈夫之所为也。当速改之。"道闻言，愕然惊觉，汗流浃背，拱手谢曰："兄乃金石之言也。"

明早，备贽，往拜林子山为师。不意又见峤搬移书箧
行囊，在小轩居宿，接近道馆。此时前怀复奋，愈加精神
恍惚，思慕之心，又能禁耶！窃喜曰："天意果从人愿，
今番不愁不谐矣。"

隔日往拜，但见李峤之情顿异，似无相识之意，前事
全然不提。道悒怏而归，复添懊闷。

明早，峤来拜，见道拥衾而卧，未醒。峤就床而坐，
检几上文章朗诵。道俄然惊觉，见峤坐于床前，手足俱
震，恍惚未定。少顷，方启言曰："贤弟来几久矣？"峤
答曰："半晌矣。"随又执之求欢，峤不从而去。再三呼
之，不止。当此之时，心如刀剜，乃作一绝，遣价送去。
诗曰：

> 几回辜负阮郎来，怪杀桃花不肯开。一种春
> 心难顿放，百年情意可成灰！

峤见诗，微哂。后二日，复来拜道，言曰："昨承佳
作，感荷良多。但白雪阳春，难为和耳。"道曰："木桃
琼瑶，敢望报乎？"言语颇顺。道乃进前，抱之求欢。正
在犹豫之间，闻窗外足声，遂释，乃仆捧茶而至，竟然又
别。道曰："莫怨无情，但以少年不解世事。"亦不甚校，
乃于壁间题诗一绝以自警：

> 十处寻芳九处空，花前泣雨洒东风。不如收

拾春心绪，频对青灯一点红。

时值春初，道以桃李为题，遂书一绝于先生馆中壁上：

桃红李白两三枝，门墙初试未成时。东君领得芬芳去，化作春风次第枝。

先生见诗，问："是谁人而作？"诸子答曰："苏易道所作也。"先生叹曰："学既渊源，貌亦卓雅。此子他日取青紫如拾草芥矣。"由是诸生咸敬重焉。而李峤复加爱厚如初。时值讲书之际，或以目视，或以言挑，彼此皆有顾盼之怀。

一日，先生设宴以待诸生。峤含笑而言于道曰："兄平日不多饮酒，今日有百杯之量耶？"道戏答之曰："座上若有一点红，斗筲之器饮千钟。"道知峤有复爱之意。次早，遣价送诗云：

> 柴门寂寞锁松萝，孤馆无聊奈若何。三月雨
> 声长不断，一年好景竟空过。不求故旧情怀好，
> 空忆人龙想像多。野鸟不知人意思，时时窗外放
> 声歌。

**峤得此诗，叹曰："苏兄何不知音？君子以文会友，何重
于此乐乎？"遂和一律附答曰：**

> 春愁难解似藤萝，仔细思量奈若何。百岁心
> 期还未罄，一年光景又空过。游蜂戏彩牵情重，
> 浪蝶寻香苦恨多。独坐山空人寂寂，数声啼鸟隔
> 林歌。

峤自和诗回答之后，一日步出馆门，遇道经过，请入
书室，对坐曰："尊兄为何久不下顾？"道曰："子绝我，
虽来亦何补？"峤曰："未尝有绝于兄也。"道曰："余自
遇贤弟之后，自谓可踵陈雷之遗风、管鲍之骥尾，故魂魄
飞扬，心情恍惚，雨泣风悲，猿啼鹤唳，无不牵情。进至
寻问求便，履险涉危。及至于斯，夫何屡次求见于子，而
子每见拒，盖以子之年少，不解世故。察子之言，又似无
意于予也。今日偶然之遇，实为有幸。倘若见怜，万祈卸
珮一欢，则万幸矣。"峤含羞而答曰："心孚意契，不必

追究前愆。但容弟今夜有事，不敢奉命。待明日敬来伴兄同宿，以酬兄昔日之愿，偿弟前朝之失也。"袖中取出白绫画帕一幅，"付兄为定"。道接帕，欣然起谢，曰："果若如是，没世不忘。"遂辞归馆。其心汲汲然欲今日之去，遑遑然望明日之来，乃调《踏莎行》词一阕，以记其事云：

子建雄才，潘安态度，楼台望断无寻处。东风吹散柳条烟，桃源定此无迷路。　　密意难传，幽情即诉，来朝正作孤鸾侣。月明孤馆闭寒窗，海棠枝上娇莺语。

次早，峤整衣冠赴约。忽值母舅至，峤叹曰："乃天也。"不得已，陪侍之至更深，而不能去焉。道馆中预设佳肴，褥铺锦被，凤烛高燃，麝沉满爇，拂焦桐于案几，悬古轴于轩辕。候至更深，并无踪影。疑其诬言，怅恨而睡。次日，作诗一首，遣价送去：

期来何不下山斋？事恐参商意亦乖。半榻尘埃空扫尽，一庭樽酒懒安排。帘卷东风常盼望，推窗明月满愁怀。当初不若无相识，思意何从眼下来？

峤得此诗，叹曰："吾心虽坚，彼所不知。"谨具小启，附价以复云：

> 弟昨日与兄有邂逅之期，自谓千种之怀可遂，一朝之失尽偿。故也，时整衣而行，不期母舅突至，以致事势暌违。如此，身虽在家，而神驰左右。但事既失约，负愧特甚。然好事多磨，理固然也，亦皆天也，岂独兄与弟乎！今再择便，谨伸前约，决不敢爽。草草奏覆，惟亮，幸甚！

道得此启，心绪稍安。又有"今日再伸前约"之语，强颜数日，乃得会于馆中。道正挽之怀抱，略有半推半就之意，忽被众友来扣馆扉，遽然阻散。道不觉汗盈腮面。峤察其意，恐贻其患，归而调《满庭芳》一阕，使人送去，以宽慰之：

> 杨柳堆烟，梨花飞雪，闲庭畔减春光。愁愁闷闷，无奈日偏长。记得约言难践，成又败，毕竟参商。且忍耐，终须与你，交颈两鸳鸯。
> 想是断肠寸寸，流泪双双。怕风生绛帐，雨洒窗棂。只恐佳期未定，早归去，花谢莺愁。情难表，试将秃笔，调个《满庭芳》。

又诗一绝云：

绿树阴浓日影迟，锦堂春晚乱花飞。仓庚有意回人语，百舌无端绕树啼。

道得此诗而忿恨渐消，亦作《满庭芳》云：

风扫残红，雨添新绿，深深庭院月偏幽。昼长人困，无计而消愁。记得昨宵春晓，小窗内，情话绸缪。哪知道，狂蜂浪蝶，窥觇我风流。

使百般间阻，语语言言，合下冤仇。一场好事，从此休休。只恐时光虚度，年华老，日月难留，无可奈，但凭尺素，道此因由。

又和诗一绝云：

银灯挑尽夜迟迟，高卷珠帘半掩扉。久待知音人不到，月明惊起杜鹃啼。

自后峤未伸前约，惭惭生疏。道盼想日切，失意殊深，悒悒成病，数日不能起，饮食俱废，精神恍惚。其仆忙报峤曰："吾大叔病重，数日不能起。客馆消然，不能医治，如之奈何！"峤大惊，即往视之。道见峤至，强起，执手曰："我被你送了命矣！"俄然而昏绝。峤恐惧，呼之再三，乃苏。峤泣曰："兄何不自保重贵体也。兄若为

我损身，弟决不能独存。"反覆询慰，请医调治。越十余日，方愈。

道取蓝绿绢二匹，云履一双，仆赍随，亲往谢焉。峤趋迎。见其精神复原，大喜，即延入西轩，厚款。道乃递上菲仪。峤曰："得兄龙体痊安，实为欣幸，何敢领此佳赐？"辞让再三，方受。道再拜曰："命在须臾，多感扶持之力，荷恩不浅。"峤答曰："今日乃知兄之心坚矣。"道叹曰："徒知亦无益矣。"峤曰："兄贵体新痊，往来颇繁，倘或不充，草榻一宵，何如？"道欣然从之。是夜，盛设香醪美馔，二人畅饮。更深，道托醉求寝。峤呼仆陪道入同宿，道趋前抱挽而言曰："今夜若不如愿，则前病复作，命必殂矣。"峤笑而答曰："吾试兄之心耳，岂有内宿之理耶？"于是峤挽道出轩，二人对天祝曰："李峤生居人世，年庚一十六岁。今以心孚意契于栾城县苏生名易道者，共结二姓金兰，生死不忘，存没如一，无负斯心，永终无斁。敢有违盟，天神鉴诛。"祝罢就寝。峤谓道曰："予年尚幼，漠然不知，兄当见怜，沾恩厚矣。"道曰：

"无瑕之白璧，世所罕稀，今得就之，敢不尽心爱护。"
此时情到兴浓，恨不得两身合为一体也。道曰："吾百计
千端，忧思万种，今始有遂，惟万有一。既承雅情，追思
昔者，不知贤弟坚执之甚，果何谓也？"峤曰："相思之
苦，彼此皆然，但未敢轻视矣。情合之后，愿成终始，恩
爱相关，绵绵不昧，勿以他日有花落色残之叹。"道曰：
"感荷再生之恩，岂敢忘耶？犬马之报，一息常存，固可
结而不可解也。虽海枯石烂，心不可易，志不可移，金石
何足言哉！"次早，作诗一绝以谢峤云。诗曰：

> 昨宵曾记宿花房，灯烬长檠月满床。自恨晨
> 鸡三唱晓，醒来犹带梦魂香。

峤亦调《一剪梅》以答之：

> 神气标奇入眼中，好个人龙，真个人龙。佳
> 期密约已成空，心也难同，志也难同。　　愁未
> 冰消恨未穷，愁锁眉峰，恨锁眉峰。昨宵花蝶两
> 相逢，花领春风，蝶领春风。

自是二人心意相孚，深笃金兰之利，事情浃洽，不啻
芝兰之美。信乎如胶似漆，若鱼水之相投，未足以方其密
也。日则谈笑歌乐，夜则交颈而卧。又不觉物换星移，西
风近起，新秋至矣。

道父染病，价持家书促归甚急。道与峤曰："欢会未几，离愁又至，奈何！奈何！"峤曰："何事？"道乃出其家书以示之。峤曰："令尊既在疾，兄宜当速归，切勿忧思，有伤贵体。想天不违人愿，暂别而已，后会固可期焉。"

次早，拜辞。言因往庄，未及送行。峤备京段二匹、云履一双，又设席江边饯别。道见礼物精厚，不敢遽受，峤强之再三，乃收。二人挽手，不忍相离，留恋不舍。延至日暮，方能别去。时月朗风清，峤伫立，望舟不见，惆怅而返。因作一绝以纪之云：

> 月满江头一派秋，罗衫轻拂上兰舟。孤航远影知何在，只有长江空自流。

峤自别道之后，朝夕企想，顷刻未尝有忘于怀。

道既归家，其父病不数日即愈。道呼天大喜曰："天意不违人愿，诚哉是言也。"遂修书一封，并词一阕，遣价送去。书曰：

> 荷爱生苏易道顿首拜启即殿元李巨山贤契门下：伏自江边一别，倏尔旬余。灯前之约虽坚，花下之盟未整。刻诸心，镂诸骨，梦寝常形；念在兹，释在兹，瞑目如见。敬陈尺楮，聊托微衷。伏惟贤弟学贯天人，才高一世之英伟；貌逞

奇威，丰姿毓天台之秀丽。诚文苑翰英，士林翘楚者也。生自谓孤立无朋，不意贤弟之见爱，得托身于玉树之傍，虽粉身莫能酬其厚德。是以意气相投，翼乎如鸿毛之遇顺风；肝胆相照，浠乎如巨鱼之纵大海。欢会未几，离愁杂至，盖由高堂有采薪之忧故矣。千愁万忆，自谓后会难期，讵知人有欲而天意果从，椿树放荣，喜生眉角，佳期又指日而定矣。伏愿青云自励，丹桂兴思，又效彩凤孤栖，无移心志，奇葩欲喷，不憧憧以朋从，则道也生顺死安，无复遗恨矣。幽怀万缕，欢愁即至，故不觉其言之已赘。惟心亮照，不宣。外具潞州绸一匹，乃借桃寄意，伏祈笑留。幸甚。

又词曰：

深沉密约，在花下为盟，许诺同心，不想天夺人愿也。便几番虚设，彩凤分群，文鸾拆侣，此恨何时灭！覆雨翻云，好把相思细说。

峤得此书，不觉手舞足蹈，喜不自胜。将所遗潞州绸收入。修书一封，并《凤凰台上忆吹箫》词一阕及礼附入回答。书曰：

辱爱弟李峤顿首拜书覆大国柱苏兄子游台座前：切惟人伦有五，友居其一；人性有五，信寓其中。是以人而无朋则孤陋寡闻，朋而无信则无益而有损。昔人有闻：一介之士，必有腹心，非谓是欤？然契兄胸涵万顷，笔扫云烟，诚间气之所钟，为当时之硕望也。峤接之始，遂兴山斗之思，既而不厌瓦砾，切蒙雅爱之厚，扪心有愧，揣分奚堪！自谓千载奇逢，喜是情坚胶漆，夫何事关意外，遂成形孓影孤。顿使凄楚情怀，每感于衾枕；企仰忆念，恒不离起居。凭栏倚遍，实懊恨乎昼永；仍辗转反侧，则又苦恨乎更长。正把柔肠万转，忽惊云翰飞来。踊跃承领，细嚼佳音，足知金石之心，而平生之愿遂矣。兹者，预设陈蕃之榻，早望鹤驾来临，则倚玉有缘，断金不爽，何幸如之！书难尽叙，并有鄙词二阕录呈。外具沉香线绢二匹，祈盼物想心，笑留，幸感！倘暇，乞移玉驾光临，至望！

又词曰：

　　海烟消，江月皎，杨柳头难留归棹。三叠阳关声渐杳，别离知道何时了？　　愁处多，欢处少，独倚孤楼，怕雨鸣池沼。窗外深沉人悄悄，落花满地空啼鸟。

又词曰：

> 雨浦花黄，西厢月暗，檀郎独上轻舟。任翠
> 亭尘满，深院闲幽。每怕梧桐细雨，碎滴滴，惊
> 起多愁。身消瘦，非干酒，不是伤愁。恨冲冲何
> 时尽了，方下眉头，又上心头。念云收雾扫，莫
> 倚危楼。长记深盟厚，何时整百岁绸缪。如鱼水
> 之交欢，金石相投。

道得词并绢。次早，禀于父母，仍带仆复往赵州。薄
暮，乃至。

峤闻道至，欣然往拜。道邀入书馆中，对坐叙久。道
曰："两情间阔，温故可
知。"峤戏答之曰："温
故可当知新乎？"道疑其
言，曰："故虽未温，而
子又知新乎？"峤曰：
"兄何出此言也？弟自别
兄之后，诸事无心，惟
兄是念，并无他故。今
兄乃有如是之言，使弟
失计甚矣。"道曰："予
岂不知贤弟之坚心乎！

前言戏之耳。"峤曰:"幽王相戏,使国有失。岂不知弟患,夫何足戏之?"道遂挽峤求欢。云合之际,峤乃推避逡巡。道曰:"吾弟已惯,今何若是耶?"峤曰:"向日见惯,因兄久别,遂复生疏。"道曰:"姑且试之,庶几又美。"

由是道与峤日则同窗,夜则共枕,或并肩于月下,或合胫于罗帏,曲尽人间之乐,无以加矣。是夜,言造拜,道遂整馔畅饮。言醉,拥衾就寝。峤见表兄在彼,即别道回家。

一日,道有表弟陈子京,亦少俊之士,因往赵州公干,寄宿道馆三日,然后启行。彼初到之日,峤偶潜入,闻馆中有喧哗之声,偷窥之,见道与少年同坐,峤疑之而归。是夜,遣价问道借琴,探其动静。价返,答曰:"苏相公与一少年正欲就寝矣。"峤曰:"别有人否?"价曰:"无他。"峤又问曰:"别有言否?"价曰:"无片言。"峤见价言,痛心切恨。次日,又使人去请道讲书,又不见至。峤愈加怨恨。由是视道如仇人,凡相会,不与一语。而道问之,亦不答,使价请之,不来。道不知其故,乃吟《忆秦娥》词一阕,遣人送去,以察其意若何:

> 秋寂寞,梦阑酒后相思着。玉颜花貌,风流闲却。南来北燕沙头落,幽情密意谁传托?愁肠欲断,饮杯孤酌。

嶠见词，即扯破而言曰："何污吾目也？"价归报，道茫然自失，不知何意为怀。次日，亲往拜探，以问其故。但闻嶠在内高声而言曰："失信无义之人，复来何故？"道惭愧回馆，闷忆殊深，不知其详。

一日，偶出，见嶠经过，强邀入馆，问曰："弟何背言也？"嶠不答。道又问曰："弟何怨我之深耶？"嶠忿容曰："厌常喜新，世之常情，余敢怨兄耶！惟刺痛愚衷矣！"道惊曰："我无他事，子何诬人？"嶠曰："目击耳闻，非诬也。"道曰："为我白之。"嶠不答，惟长吁而已。道曰："弟若不明言，生死在顷刻矣。"嶠曰："兄无怒。"道曰："死且不避，奚敢怒焉！"嶠曰："弟遇兄后，誓同生死，永结绸缪。不意交欢未久，而兄又弃旧迎新。"道曰："何以见之？"嶠曰："前者因表兄醉卧兄馆，弟暂回宿，事绊未临。昔者，偶来兄馆，窥见兄与一少年同坐，遂潜而退。至夜，又遣价借琴，实以观兄动静，又见兄与同寝。次早，又使人来请讲书，又不见至。是兄弃我特甚，而弟安敢负盟乎？"道闻言，笑曰："子误矣。前日所遇年少者，乃母舅之子，我之表弟也。因来公干，寄宿生馆，并无一毫私意。弟若不信，予将几上饰玉杯掷地为誓曰'道若有私心，身如物碎'。"嶠乃笑而挽之曰："事迹可疑，人心难信，兄有别遇，弟实伤怀。望兄扩天地之量，勿以前非为恨，幸矣。"道曰："得我贤弟回心，实为获珍之喜，敢抱怨乎？"乃调一词以叙情曰：

枕畔才喜相投，如何又别？寸肠欲裂。百计千愁无处诉，今喜故人重接。　　满酌霞觞，长歌皎月。与你共欢娱，海誓山盟，大地齐休歇。

自是，二人信其心而不疑其迹，凡有事必先议而后行。言则同心，事则同志，平居闲暇，勤习经史。然形骸虽隔，浑乎一气之贯通，而私爱之密，浃于肌肤，沦于骨髓，信若鸟之鸳鸯，枝之连理也。

厥后苏易道、李峤、杜审言、崔融四人，结为文学四友，同入乡试。道得占魁，抵京联捷，授咸阳尉。即差人抵家，及临赵州，来接李峤三友，修书问候。峤因乡试未就，忧闷殊甚，父母代伊求婚，却之不已。时闻价报："苏老爷任上差人来此。"峤唤入，接书开读：

辱爱生苏易道顿首再拜大殿元巨山李契弟台左：自别颜范，夙经载余，朝夕企想；但觉昼长夜永，倦理于正事，惟怀携手并肩。今者，忝居是任，实出于贤弟之教诲也。但身居彼地，而神驰左右。今者，特差人来接驾，万祈追念灯前月下、意契心孚，禀达尊翁、尊堂，治装秣马，遥驾光临。生当悬榻预待。倘或见却，生即洗肘挂印，弃职而归，决不爽郎盼想。临书之际，已曾泪染云笺，尚检污痕可验也。万惟心照赐临，幸甚！

道再顿首。

峤见来意殷勤，甚喜。即禀父母，便择日同差人赶程。越二日方至。

峤嫩质未经远涉，陡觉体倦，暂停行旆，寓宿于陈乡宦宅傍。闲叙之际，店主道曰："此一派第宅，俱是陈茂春老爷转赁者。亦曾居南京户部尚书之职，但无男嗣，懒于任政，致仕归家。惟有一女，名唤玉英，年登二八，诗词歌赋，无不精通，父母珍惜，如执玉捧盈也。"

不期次早茂春送客出门，峤趋视之。春得睹其英容异俗，盼其丰采拔尘，即遣仆询其居址。仆回答曰："此大叔乃赵州李岳老爷之子，名峤，因往苏老爷任，经此暂歇，少舒劳顿。"春闻言，即盛设筵，遣仆来请。峤愕然不知其故，又不敢遽却，只得强而赴之。

春下阶迎接，礼貌甚恭。峤惊悚不已，不敢居上，惟隅坐东焉。春曰："令尊大人与下官仕途相会，甚为知爱，不意今日得会足下，实万幸也。"峤方知来历，遂放怀款叙。至暮，辞别。春曰："今日天付奇逢，尚容止数日，方肯与子行矣。"即遣仆搬移行装，收拾池馆一所，玩器兼备，更深延入寝所，命二小童伏侍。

春入内与夫人言曰："吾观李子有绝世之姿，夺标之志，异日变化，与吾职可并也。若得此子为婿，良愿足矣。"夫人亦大悦。

春遂默修书，遣仆竟投赵州，来见李公，独言亲事。

岳接书视之，乃知陈茂春将女许峤，同夫人赵氏大喜，即备表里二端、金钿一对，权为定仪。嘱仆曰："汝大叔往咸阳苏老爷任也，回家即送聘卜娶。"仆回，将书并礼递上，春大悦。

越日，差人催促起行。峤登堂告别。春曰："倘容一日，再伸款待，方慰愚怀。"峤从之。回馆吟一律以怀道曰：

萧条愁两地，独院隔同群。一夜原为家，多旬不见君。驰心如白日，牵意若归云。更在相思处，规声彻夜闻。

峤咏毕，无聊，纵步池畔观莲，见锦鳞逐对，戏濯浮沉。转眼间，俄见饮秋亭畔太湖石傍有美女，钿环缓步摘花，有沉鱼落雁之容，闭月羞花之貌，恍若天姬临世，浑如月姊离宫。金莲动处，涌起千娇；宝髻云欹，涵生百媚。峤见之，不觉魂飞魄散，不知天耶？人耶？趋前恭揖。其女避之不及，遂和颜敛衽答礼，不能一谈，敛迹而去。峤回馆中，切慕之极，料是无缘再会，聊占一绝书壁以记焉：

> 玉貌新妆束，云鬟若点鸦。顾影鸾朝镜，回盼燕蹴花。天姬愁入俗，月姊笑离槎。珍重轻盈态，黄金不惮夸。

玉英自避生归房之后，想："是何人得至池畔游戏？观其英容，虽潘安不能逾也。但寸草虽未沾春，而风情世态，必然尽识矣。"自此，针刺之功顿释，而仰慕之思益增。"若得斯人成匹，虽死亦无遗憾矣。"遂口占一律以自遣焉：

> 一会文君想我怀，胸中愁绪向谁开？题桥不亚相如志，作赋应高子建才。罗帏绣幕重重闭，春色缘何入得来？假饶不遂于飞愿，一点芳心肯作灰！

二人俱不知父母之意，蓦地相逢，各怀企仰。

次日，峤登堂拜别。春具白金五十两为赆。仍设大宴，请夫人之弟来陪。峤不知其意，只得赴席，见其恭敬亲厚，愧赧无地。酒至半，舅乃言曰："公今日是吾家甥婿也。令尊已行定彩矣。"峤方知其故，心中稍安。款叙至暮，筵散回馆，暗自喜曰："若是前遇之女，诚天赐也。"

黎明告别，春致饯，乃祝曰："秋闱逼近，可速回应试。"峤致恭领诺，拜别。

直抵咸阳。把门人报知，道整冠趋出迎接。延入内衙，慰问劳顿，并询家属。遂设盛筵畅饮。更深就寝，仍效昔日于飞之乐，其情愈加绸密。峤将陈茂春亲事述知，道称贺至极。

次日，行一切政务，先请问于峤，然后施行。故一时政教号令，悉合民心，功绩大著，皆峤之力也。

时道报升北京凤阙舍人，即欲临任。峤告归赴试。道不敢留，谨具白金百两，又表里等物，差人护送，致酒饯别，遂作五言绝诗一首，以怀歉云：

　　君登片航去，我望青山归。云山从此隔，泪
　　透紫罗衣。

峤曰："不为功名之念，决不敢别于仁兄矣。但期浪暖，必然重整耶。"遂作五言律一首以慰焉：

　　相思春树绿，千里各依依。才得月轮满，如
　　何又带亏？桂花香不落，烟草蝶只飞。一别违消
　　息，桃源浪暖期。

峤别道抵家，将陈茂春亲事备述于父母。父曰："良

缘奇遇，门户相当，真可尚也。你能夺标归娶，方能称志。”

及时值槐黄桂喷，峤与表兄杜审言、契友崔融三人入试。峤得占魁，二人居于榜列。是时同赴京都。道接见，喜极，列筵，畅饮达旦。

峤荣擢探花，钦赐游街。时乌纱冠顶，金带悬腰，更兼颜华色丽，真飘飘焉当世之神仙。而同僚见者，无不切慕。除授庐州别驾。言擢进士，授温城尉。融擢进士，授袁州刺史。道设宴于会馆饯别。缅想当时俱以布衣相契，今者俱受天恩宠命，诚为文学四友可也。

厥后苏易道以文翰显时，至正元年，官拜天官，娶夫人韦氏，生三子一女。李峤以文词名世，官拜尚书，娶夫人陈氏，生二男，娶道之女为妇。杜审言恃才高傲，贬后仍拜修文馆学士，娶夫人蔡氏，生四子。崔融以诗赋鸣时，官拜崇文馆学士，为太子侍读，娶夫人高氏，生一子，仍擢及第。此四友俱得荣超，永垂后世。而心相孚，而德所敬，实为罕见。盖因忠信诚实，而著为后之龟鉴。

东郭集

赵简子大猎于山中。虞人导前，嬖奚骖右，捷禽鸷兽应弦倒者，不可胜数。有狼当道，人立而啼。简子怒，唾手奋髯，援乌号之弓，挟肃氏之矢，一发饮羽，狼失声而逋。简子怒，驱车逐之。轻尘蔽天，十步之外，不辨人马。

时墨者东郭先生，将北适中山以干仕，策蹇驴，囊图书，宿行失道，卒然值之，惶不及避。狼顾而人言曰："先生岂相厄哉！昔隋侯救蛇虬获珠，蛇固弗灵于狼也。今日之事，何不使我得早处囊内，以延残喘？异时脱颖而出，先生之恩大矣，敢不努力以效隋侯之蛇。"先生曰："嘻！私汝狼以犯赵孟，祸且不测，敢望报乎！然墨者之道，兼爱为本，吾固当有以活汝也。"遂出图书，空囊橐，徐实狼其中；三内之而未克，徘徊踌躇，追者益近。狼请曰："事急矣，惟先生早图！"乃跼蹐其四足，索绳于先生束缚之；下首至尾，曲脊掩胡，猬缩蠖屈，蛇盘龟息以退。命先生，先生如其指。入狼于囊，遂括囊口，肩举驴上，引避道左，以待赵人之过。

已而简子至，求狼弗得，不胜其怒，拔剑折辕端示先生，骂曰："故讳狼方向者，有如此辕！"先生伏质就地，匍匐以进，跪而言曰："鄙人不慧，将有志于世，奔走四方，实迷其途，又安能指迷于夫子也？然闻之大道以多歧亡羊。夫羊，一童子可制，尚以多歧而亡。今狼非羊比也，况中山之歧，可以亡狼者何限！乃区区循大道以求之，不几于守株缘木者乎！况田猎，虞人之所有事也。今兹之失，请君问诸皮冠，行道之人何罪哉！且鄙人虽愚，亦熟知夫狼矣，性贪而狠，助豹为虐，君能除之，固当窥左足以效微劳也，又安敢讳匿其踪迹哉！"简子默然，回车就道。先生亦驱驴兼程而进。

良久，羽旄之影渐没，车马之音不闻。狼度简子之去已远，乃作声囊中曰："先生可以留意矣。愿先生出我囊，解我缚，我气不舒，我将逝矣。"先生举手出狼。狼出，咆哮，望先生曰："适为赵人逐，其来甚远。虽感先生生我，然饥饿实甚，使不食，亦终必亡而已矣。与其饿死道路为乌鸢啄食，毋宁死于虞人之手以俎豆赵孟之堂也。先生既墨者，摩顶放踵利天下为之，又何吝一躯不以啖我而活此微命乎？"遂鼓吻奋爪以向先生。先生仓卒以手搏之，且搏且却，拥蔽驴后。狼逐之，便旋而走。自朝至于日昃，狼终不能有加于先生。先生亦极力为之拒，遂至俱倦，隔驴喘息。先生曰："狼负我！狼负我！"狼曰："吾不得食汝不止！"相持既久，日将尽矣，先生心口私语曰："天色已暮，狼若群至，吾必死矣。"乃绐狼曰："民俗：为疑必询三老。且行，以求三老而执之，苟谓我当食，我死且无憾。"狼大喜，即与偕行。

此时道无行人，狼馋甚，望见老树僵立路傍，乃谓先生曰："可问是老。"先生曰："草木无知，叩焉何益？"狼曰："但问之，复当为汝言矣。"先生不得已，揖老树，且述其始末。问曰："狼当食我耶？"树

中忽然有声如人，谓先生曰："是当食汝！且我，杏也。昔年老圃种我，不过费一核耳。逾年而华，再逾年而实，三年拱把，十年合抱，于今三十年矣。老圃，我食之；老圃之妻，我亦食之；外至宾客，下至农仆，我食之；又时复鬻我实于市以规利，其有德于老圃甚厚矣。今老矣，不能敛华就食，老圃怒，伐我枝条，芟我枝叶，且将售我工师而取值焉。噫！以樗朽之枝，当桑榆之景，求免于主人斧钺之诛而不可得！汝何德于狼，乃觊幸免乎？"言下狼鼓吻奋爪以向先生。先生曰："狼爽盟矣。矢询三老，今值其一老，遽见食耶？"

复与偕行。狼复馋甚，望见老牸曝日败垣中，谓先生曰："可问是老。"先生曰："向者草木无知，谬言害事。今牛，又兽耳，更何问焉？"狼曰："第问之，如其不问，将噬汝矣。"先生不得已，揖老牸，仍述其始末。问曰："狼当食我耶？"牛皱眉瞪目，低鼻张口，向先生作人言，曰："是当食汝！我头角幼时，筋力颇健，老农钟爱我，使二群牛从事于南亩。既壮，群牛日以老惫，我都其事。老农出，我驾车先驱；老农耕，我引犁效力。斯时也，老农视我如左右手，一岁中，衣食仰我而给，婚姻仰我而毕，赋税仰我而输。今欺我老弱，逐我于野，酸风射眸，寒阳吊影，瘦骨如山，垂泪如雨，涎流而不能收，步艰而不能举，皮骨俱亡，疮痍未瘥。迩闻老农将不利于我，其妻复妒，又朝夕进说其夫，曰：'牛之一身，无弃物也。其肉可脯，及皮与骨角，可切磋为器。'指大儿曰：'汝受业庖丁之门有年矣，何不砺刃于硎以待乎？'迹是观之，我不知死所矣！然我有功于老农，如是其大且久，尚将嫁祸而不为我德矣。汝有何德于狼，乃觊幸免乎？"言下狼又鼓吻奋爪以向先生。先生曰："无欲速。"

　　遥望有一老子，杖藜而来，眉发皓然，衣冠闲雅，举步从容。先生自谓曰："此必有道之人也。"且喜且愕，忙然舍狼而前，拜跪泣诉，曰："我有救狼之德矣，今反欲食我，乞丈人一言而生。"丈人问救狼之故，先生曰："是狼为赵人窘，几死，求救于我，我即倾囊而匿之于内，是我生之也。今反不以我为德，而反欲噬我。我力求救，彼必不免，是以誓决三老。初逢老树，强我问之。我答曰：'草木无知，问之无益。'强我数四而问焉，殊料草木亦言食我。次逢老牸，强我问之。我亦无奈，遂问，那禽兽无知，又几杀我。今逢老丈，是天未丧斯文也。愿赐一言而生我。"因顿首杖下，俯伏听命。丈人闻言，吁嗟再三，以杖扣狼胫，厉声曰："汝误矣。夫人有恩而背之，不祥莫大焉。汝速去，不然，将杖杀汝。"狼艴然不悦，曰："丈人知其一，未知其二。初，先生救我，束缚我足，闭我囊中，我跼蹐不敢息。又蔓词说简子，语刺刺不能休。且诋毁我，其意盖将死我于囊中，独窃其利也。是安得不噬？"丈人顾先生而谓曰："公果如是？是亦有罪焉。"先生不平，尽道其救狼之意，狼亦巧言不已，而争辩于丈人之前以求胜也。

　　丈人曰："是皆不足信也。"谓狼曰："汝仍匿于囊

中，我试观其状，果若困苦如前否？"狼欣然从之。先生
囊缚如前。而狼未之知也。丈人附耳谓先生曰："有匕首
否？"先生曰："有。"于是出匕焉。丈人曰："先生使强
匕摘其狼！"先生犹豫未忍。丈人抚掌笑曰："禽兽负恩
如是，而犹不忍杀之，子则仁矣，其如愚何！"遂举手助
先生操刃共殪狼，弃道而去。

由是观之，其为人也，而不能以报恩者，是亦狼矣。
何以人而不如狼乎？

笔　辩　论

班超归自西域，止于洛阳，闭门养疾，无所逢迎。有
一儒生，锐首而长身，款扉投谒，自称故人。门者辞曰：
"君侯久劳于外，精神消亡，不乐于应接，虽公卿大夫，
犹不得望见颜色，安问故人！"生闻之，黡然变色，毛发
竦竖，排门而入，即谓超曰："子当壮年，徼功速利，驰
志异域，弃我如屣，跨跃风云，一息万里，子固绝我矣，
而我与子未尝绝也。凡子之建功名、享爵位、耀于今而垂
于后者，我与有劳焉。子不德我，乃待我以不见乎？"

超闻之，瞿然而视，且怒且疑，与之坐而问之："子
欺我哉！逢掖之士，淹寂穷庐，游咏术艺，呻吟典谟，研
朱渍墨，占毕操觚，自厌百家，腕脱大书；若史迁发愤于
纪传，伏生皓首于遗经，董子下帷而讲授，刘向闭门而研
精，相如托讽于词赋，扬雄覃思于《法言》，彼皆收功于
既死之际，成名于隔世之间，乐为迂阔，往而不反，故汝

得以扬眉吐颖，含毫锐思，或逞才以效能，或摛藻而绮靡，写幽思于尺素，垂空言于百世，虽圣智之有余，谅非尔而莫济。仆诚不与吾子立，故逃尔而远逝。于是要楄柎之剑，拥丰特之旄，左执鞭弭，右属櫜鞬，射泫玄之流，招剧季之豪，望蒲类而北向，逾流沙而西涉，鸣铎伊吾之野，饮马长城之窟，羁名王于緤组，膏犹豪于铁钺，横四校于龙堆，出九死于虎穴。但见千车云屯，万骑云合，矢如彗流，戈如雷逝，纷纷纭纭，天动地趹，智者为之愚，勇者为之怯。设于是时，固已销锋敛迹，颠倒筐筐，闻钲鼓而迫遁，望羽檄而胆詟，又岂能出一奇、画一乩，以相及哉？夫名不可以虚得，功不可以幸取，劳之未图，报于何有？"

生乃卓然起立，进而言曰："吾闻大功无形，大利难名，仁人垂德于不报，志士弛荣而不争。凡我之功，远者、大者，人所共知，不待缅缕，近在子身，何独未喻？子游京师，困于逆旅，与我佣书，来其官府，握手终日，未尝厌汝。工汝字书，顺汝指使，成汝文章，通汝志意。仰事俯畜，皆我是赖。及为令使，掌书兰台。晨入暮出，必与汝偕，言无汝违，行无汝乖。夫何一旦绝已固之交，结无信之友，坏可成之功，造难就之计；舍圣贤之业，操不祥之器，乘机蹈危，以徼一时之富贵？然我犹图封官之勋，忍投地之耻，将全汝交，未即背弃。若乃戎车竟野，伏钺瞻师，文告之修，我记汝词。虎符尺籍，有所征发，我传汝信，应期而合。或移书而安文，或安屯而数实，或

计功于幕府，或通信于邻国，凡此多端，匪我弗克。汝在于墨，上书乞兵，我写汝心，卒获所请。汝厌西上，情怀百首，泣血腾章，实我所摹。汝姊陈词，悲叹激切，感动天子，实我所书。既而，还旅穷荒，悬车帝里，微我之惠，何以及此？虽然，此特其小小者耳。若夫铺张鸿休，润色弘烈，书之施常，列之简册，使汝得以流芳声、腾茂实，光明融显，千载而不灭者，其功岂易易哉？今子徒欲夸浅近之效，忘本原之义，是何异于始皇之疏杰，而平原之木遂也！"

超乃盱睢失容，意若有避。生曰："未也。愿安汝听，少穷我臆。昔汝先君，间关抵蜀，我在童髫，资其简牍。逮汝兄固，父书自续，念我前功，复见汝录。我乃竭其管见，投以寸心，道叶胶漆，利同断金。相其成书，蔚为词林。向使固不恒其德，背好忘故，改行易业，效尤于汝，则孰为之缀词，秉翰以成其制作哉？且夫万里封侯，立功异域，荣则荣矣，孰与夫论道属书，为世儒宗，以间父之绩？薄伐西戎，恢我疆土，忠则忠矣，孰与夫继代作史，

勒成一家，以佐汉之光？向使戎敌之人，或神巫之言，悼
斩使之耻，兽心坌跃，狙诈焱起，吾将见汝膏身县度之
墟，暴骨弃之于野，生为囚俘，死为夷鬼，又安敢望青紫
乎？故子常鄙我而不用，我亦笑子身勤而事左，劳大而功
细也。”

超闻期言，俛首流汗，揖客门外，自愧不学，卒以惭
死。

虬 须 叟 传

吕用之在维扬日，佐渤海王擅政害人。中和四年秋，
有商人刘损，挈家乘巨船自江夏至扬州。用之凡遇公私
来，悉令侦觇行止。刘妻裴氏，有国色。用之以阴事下刘
狱，纳裴氏。刘献金百两免罪，虽脱非横，然亦愤惋，因
成诗三首曰：

> 宝钗分股合无缘，鱼在深渊日在天。得意紫
> 鸾休舞镜，断踪青鸟罢衔笺。金杯倒覆难收水，
> 玉轸倾㪣懒续弦。从此蘼芜山下过，只应将泪比
> 黄泉。
> 其二
> 鸾辞旧伴知何止，凤得新梧想称心。红粉尚
> 存香幕幕，白云将散信沉沉。已休靡琢投泥玉，
> 懒更经营买笑金。愿作山头似人石，丈夫衣上泪
> 痕深。

其三

旧尝游处偏寻看，睹物伤情死一般。买笑楼
前花已谢，画眉窗下月空残。云归巫峡音容断，
路隔星河去住难。莫道诗成无泪下，泪如泉滴亦
须干。

诗成，吟咏不辍。因一日晚，凭水窗，见河街上一虬须老
叟，行步迅速，骨貌昂藏，眸光射人，彩色晶莹，如曳冰
雪，跳上船来，揖损曰："子衷心有何不平之事，抱郁塞
之气？"损具对之。客曰："只今便为取贤阁及宝货回，
即发，不可更停于此也。"损察其意必侠士也，再拜而启
曰："长者能报人间不平，何不去蔓除根，岂更容奸党？"
叟曰："吕用之屠割生民，夺民爱室，若令诛殛，固不为
难。实愆过已盈，神人共怒。只候冥灵聚录，方合身百支
离，不唯难及一身，须殃连七祖。且为君取其妻室，未敢
遒越神明。"

乃入吕用之家，化形于斗拱上，叱曰："吕用之违背
君亲，持行妖孽，以苛虐为志，以淫乱律身。仍于喘息之
间，更慕神仙之事。冥官方录其过，上帝即议行刑。吾今
录尔形骸，但先罪以所取刘氏之妻，并其宝货，速还前
人。倘更悦色贪金，必见头随刀落。"言讫，铿然不见所
适。

用之惊惧，遽起焚香再拜。夜遣干事并赍金及裴氏还
刘损。

损不待明，促舟子解维。虬须亦无迹矣。

侠妇人传

董国度字元卿，饶州人，宣和六年进士第，调莱州胶水簿。会北兵动，留家于乡，独处官所。中原陷，不得归，弃官走村落，颇与逆旅主人相得。念其贫穷，为买一妾，不知何许人也。性慧解，有姿色，见董贫，则以治生为己任。罄家所有，买磨驴七八头，麦数十斛，每得面，自骑入市鬻之。至晚，负钱以归，如是三年，获利益多，有田宅矣。

董与母妻隔别滋久，消息皆不通，居常思戚，意绪无聊。妾叩其故。董嬖爱已深戚，不复隐，为言："我故南官也。一家皆在乡里，身独漂泊，茫无归期。每一想念，心乱欲死。"妾曰："如是，何不早告我？我兄善为人谋事，旦夕且至，请为君筹之。"

旬日，果有客，

长身虬须，骑大马，驱车十余乘过门。姜曰："吾兄至矣。"出迎拜，使董相见，叙姻戚之礼。留饮。至夜，姜始言前事，以属客。是时虏令："凡宋官亡命，许自陈，匿不言而被首者，死。"董业已漏泄，又疑两人欲图己，大悔惧，乃绐曰："毋之。"客忿然怒，且笑曰："以女弟托质数年，相与如骨肉，故冒禁欲致君南归，而见疑如此，倘中道有变，且累我。当取君告身与我，以为信。不然，天明执告官矣。"董亦惧，自分必死，探囊中文书，悉与之。终夕涕泣，一听于客。

客去。明日，控一马来，曰："行矣。"

董请姜与俱。姜曰："适有故，须少留。明年当相寻。吾手制一衲袍赠君，君谨服之，唯吾兄马首所向。若返国，兄或取数十万钱相赠，当勿取。如不可却，则举袍示之。彼尝受我恩，今送君归，未足以报德，当复护我去。万一受其献，则彼责已塞，无复护我矣。善守此袍，毋失也。"董愕然，怪其语不伦，且虑邻里知觉，辄挥泪上马。疾驰到海上，有大舟临解维，客麾使登。

遂南行，略无资粮道路之费，茫不知所为。舟中奉侍甚谨，具食，不相问询。

才达南岸，客已先在水滨，邀请旗亭，相劳苦，出黄金二十两，曰："以是为太夫人寿。"董忆姜语，力辞之。客不可，曰："赤手还国，欲与妻子饿死耶？"强留金而出。董追挽之，示以袍。客曰："吾智果出彼下！吾事殊未了，明年挈君丽人来。"径去，不返顾。

董至家，母、妻、二子俱无恙。取袍示家人，缝绽处金色隐然。拆视之，满中皆箔金也。

逾年，客果以妾至，偕老焉。

卷十　钟情丽集（上）

时有辜生者，辂其名，本贯广东琼州人氏，丰姿冠玉，标格魁梧，涉猎经史，吞吐云烟，其士林中之翘楚者也。一日，父母呼而命之曰："尔有祖姑，适临高黎氏，乃子奉朝廷命而为土官，即尔之表叔也。经今数载，音问杳然，疏间之甚也。孔子云：'亲者毋失其为亲，故者毋失其为故。'此人道之当然。即辰春风和气，景物熙明，聊备微货，代我探访一度，以将意耳。"生唯唯听命，收拾琴书，命仆僮佑哥从行。

生既至，入谒表叔，见之尽礼。乃引赴中堂，进拜祖姑暨婶并诸兄弟，皆相见毕。于是诸亲劳苦，再三询及故旧，生一答之，尽恭且详。乃馆生于西庑清桂西轩之下。

明日侵晨，踵春晖堂，揖祖姑，适瑜侍焉，将趋屏后避生，祖姑止之，曰："四哥，即兄妹也，何避嫌之有？"瑜得命，即下阶与生叙礼。生窃视之，颜色绝世，光彩动人，真所谓入眼平生未曾有者也。

厥后，祖姑甚钟爱生，晨昏命生与瑜侍食左右。一日，谓生曰："诸生久失训诲，汝叔屡求西宾无可意者。幸子之来，姑舍此发蒙，一二年间回，不晚矣。"复顾瑜曰："四哥寒暑早晚但有所求，汝一切与之，勿以吝啬。"女唯唯听命。生亦拜谢。然生虽慕瑜娘之容色，及察其动静有常，言词简约，生心知，不敢有犯，又以亲情之故，不敢少肆也。

表叔择日设帐，生徒日至。虽注意于书翰之间，而眷恋之心则不能遏也，累累行诸吟咏，不下二三十首。不克尽述，特揭其尤者，以传诸好事者焉。"是夜，坐舒怀二律，诗曰：

> 连城韫匮已多时，耻效荆人抱璞悲。白璧几双无地种，灵台一点有天知。青灯挑尽难成梦，红叶飘来不见诗。寂寂小窗无个事，娟娟斜月射书帏。

又：

> 多愁多病不胜情，怅味萧然似野僧。绿绮有心知者寡，鍪箜无字梦难凭。带宽顿觉诗腰减，身重应知别恨增。独坐小窗春寂寂，感怀伤遇思匆匆。

一日，生命侍僮佑哥问瑜娘取槟榔，遂以蜡纸封蜜酿者十颗馈生，并标书于其上曰："进御之余，敬以五双奉兄，伏乞垂纳。"生但谓其有容色，不意其亦识字也，见之，大悦曰："西厢之事，可得而谐矣。"乃制《西江月》一词，命佑哥持以谢云：

> 蜡纸重重包裹，彩毫一一题封。谓言已进大明宫，特取余甜相奉。　口嚼槟榔味美，心怀玉女情浓。物虽有尽意无穷，感德海深山重。

生情不能已，复继之以诗曰：

> 有美兰房秀，嫣然迥不群。清才谢道韫，美貌卓文君。秋水娟娟月，春空霭霭云。何当阶下拜，珍重谢深恩。

女见之，微微而哂，就以云笺裁成小简以复云："感承佳作，负荷良多，第以白雪阳春，难为和耳。"生得此简，欢喜欲狂，不觉经史之心顿放，花月之思愈兴，他无所愿也，惟属意瑜娘而已。朝夕求间寻便，欲以感动于瑜。然瑜驯谨稳实，生挑之，不答；问之，不应，莫得而图之。

一夕，月初出，叔婶会饮于漱玉亭上，命使女召生。生以手挥之，使先行。生徐徐后至兰房东轩之隅碧桃树下，遇瑜独归。生曰："五姐何归之速耶？"瑜曰："倦矣，故归。"生曰："久怀一事，欲以相闻，不识可乎？"女以他辞拒之，曰："昨承佳作，健羡，健羡！"生曰："不为是也。"女不答而去。生大惭，悒悒而赴宴，半酣而回。自是桃下之遇，不果所怀，遂制平韵《忆秦娥》以泄悒怏之意云：

> 忆秦娥，忆秦娥，无意奈渠何！一场好事，从此蹉跎。茫茫日月如梭，悠悠光景逐流波。花天月地，毕竟闲过。

一日，生在外馆，女潜入其所居之轩，发其书筒，见所作之诗词，知生之意有在也，默记归录，至"白璧""灵台"之句，感叹移时。及察见生之容色变常，饮食减少，颇怜之焉。

一夕，女晚绣绿纱窗下。生行过窗外，偶念周美成词"些小事，恼人肠"之句，瑜隔窗问曰："四哥何事恼愁肠也？盍为我言之？"生曰："子自思之。"女曰："兄欲归乎？"生曰："不然。"女又曰："兄思兄之情人乎？"生又曰："非也。"女又曰："春寒逼兄耶？"生曰："非寒也，愁也。"女曰："何不拨之乎？"生曰："谁肯与我拨之？"女笑而不答。生欲进而与之语，自度不可，于是退居轩间，思向者窗前之言，乃作《花心动》词以识其事：

> 万绪千端，恼人肠肚事，有谁共说？多丽多娇，有意有情，特地为人撩拨。绿纱窗晚珠帘卷，绣床上描花模月。如簧语，一声才歇，千愁顿雪。　　惟恨衷肠未竭。空惆怅，归来又成间

绝。一片乍灭，千种仍生，拥就心头如结。琴心未必君知否，何日也，山盟同设？休猜讶，不是狂蜂浪蝶。

生命侍僮持以示女。女览之，掷地曰："我本无此意，四哥何诬人也！"僮归以告。生殆无以为怀，乃于轩之西壁墨一莺，后题一绝于上云：

> 迁乔公子汇金衣，独自飞来独自归。可惜上林如许树，何缘借得一枝栖？

见者谓其题莺，殊不知其托意于其中也。

一日，瑜之侍妾碧桃偶过生轩，归谓瑜娘曰："向来见西边轩里琼州官人画一鸟于壁上，甚是可爱。"瑜因伺生出，遂抵生轩，玩索良久，知其意也，乃作一词，书于片纸之上，置于几间而归。诗曰：

> 金衣今已换人衣，开口如啼却不啼。自是傍墙飞不起，休悲无树借君栖。

生归，见瑜所和之诗，正想象间，忽见绛桃持一简至。生视之，乃《喜迁莺》之词也：

> 娇痴倦极，御柳困花柔，东风无力。桃锦才舒，杏花又褪，种种恼人春色。不恨佳期难遇，惟恨芳年易。不堪据处，有东流游水，西沉斜日。　　记得此意，早筑盟坛，共定风流策。也不难，愁更休烦梦，务要身亲经历。欲使情如胶漆，先使心同金石。相期也，在西厢待月，蓝田种璧。

生得此词，大喜过望，愿得之心逾于平昔，每寻间，便思与女一致款曲，终不可得。

后二日，表叔赴县，婶又宁归，女乃潜出，直抵生轩。生偶辍讲而归，适瑜在焉，揖而谢曰："往日之词诚能践之，虽死无憾。"瑜曰："前词聊以宽兄之意耳，岂有他哉？"生曰："所为'身亲经历'者，果历何事耶？"女不答，遂欲引去。生掩窗扉而阻之，因谓瑜曰："辂自二月来抵仙乡，今则薁荄已三更矣。自从见卿之后，顿觉魂飞魄散，废寝忘餐，奈何无间可乘。今蒙下顾寒窗，而辂偶出适归，抑且不先不后，岂非天意乎？而卿又欲见拒，此辂之所深不识也。"瑜曰："兄言良是，妾岂不知而为是沽娇哉？抑以人之耳目长也。"生曰："为之奈何?"瑜曰:"俗言心坚石也穿,但迟之岁月而已。"生曰:"青春易掷,若迟之以岁月,岂不错过了时节哉!"瑜曰:"妾,女子也,局量偏浅,无有深谋远虑,在兄之图之,则善矣。"言未已,忽闻众声喧哗,遂遁去,不得再语。生乃制《浣溪沙》以记其事云。歌曰:

> 云淡风轻午漏迟,昼余乘兴乍归时,忽惊仙
> 子下瑶池。有意鸧鹒窗下语,无端百舌树梢啼,
> 教人如梦又如痴。

一日,生陪叔婶宴于漱玉亭中,生辞倦先归。和乐堂侧闻有讽诵声,生趋视之,见瑜独立蔷薇架下,拂拭落花。生曰:"花已谢落,何故惜之?"女曰:"兄何薄幸之甚耶!宁不念其轻香嫩色之时也?"生曰:"轻香嫩色时不能伫赏,及其已落而后拂之而惜,虽有惜花之心,而无爱花之实,与薄幸何异?"女不答。生曰:"往日'图之'一言何如?"女曰:"在兄主之,非妾所能也。"忽觉人声稍近,遂隐去。生作《减字木兰花》以思其实焉:

> 小亭宴罢,偶到蔷薇花架下。忽惊兰香,独
> 立花阴纳晚凉。手拈花瓣,轻轻整顿频频看。花
> 落花开,厚薄之情何异哉!

又一夕,叔婶俱赴邻家饮宴,生独视轩中,怅怅然若

有所失。正忧闷间，忽见瑜娘掀扉而入，谓生曰："兄何忧之多耶？"生曰："愁何足惜，但肠断为可惜耳。"女曰："何事肠断？"生曰："尽在不言中。"女曰："妾试为兄谋之。"生曰："卿言既许矣，不可只作一场话柄，恐断送人性命。惟子图之。"女曰："兄尚不念图，况妾乎？"生曰"辂图之熟矣。"女指墙，谓生曰："奈此何？"生曰："事至如此，虽千仞之山，尚不足畏，数仞之墙，何足道哉！"女曰："所能图者，其计安出？"生乃以扇指示所达之路。女曰："是不言也，妾之一心，惟兄是从而已。事若不遂，当以死相谢。第恐兄之不能践言耳。"生以手抱瑜，欲求合欢，女不从。正反覆间，忽闻叔婶回，遂出迎接。次日，生乃作《凤凰台上忆吹箫》之句以示女云：

> 水月精神，乾坤清气，天生才貌无双。算来十洲三岛，无此娇娘。堪笑兰台公子，虚想像，赋咏《高堂》。何如花解语，玉又生香。　茫茫！今宵何夕，亲曾见姮娥，降下纱窗。又以将合，风雨来访。记得何时，约言难践，空愁断肠。肠断处，无可奈何，数仞危墙！

生念瑜娘之言，欲实其心，奈何无路可达。因自思之："惟有得向春晖堂安寝，则身可通矣。"遂称病不起。表叔省之，生诈之曰："近来数夜卧此轩间，才瞑目，便见鬼魅或牛头马面等来相击闹，心甚怖焉。但以精神恍惚所至，不以为意。昨夜又梦一长牙者，语余曰：'明日大王来请你，你勿复起。'不觉今日身体沉重，不能起也。"叔闻此语，大惊，遂移之东轩，命其小子名铭者伴生寝焉。生思念："本欲设计寻入中堂，只得移向东轩，无以异于西轩也。"至夜半，伴狂大叫。举家惊视，生良久始言曰："向见一人冠黄巾，同昨所见长牙者坐，骂余曰：'我叫你莫起，你强要起。'黄巾者曰：'大王请先生去作平贼露布耳，无他也。'言未已，又见一红发尖嘴者至，曰：'连忙去，无羁滞。'将促余出，我与勃敌良久，喜诸人起来，散去，不然，被伊捉去矣。"祖姑闻言大惊，令请良巫祈禳。生乃厚赂巫者，命伊言曰："若在此宿卧，恐性命难保。除非移入中堂，则无事矣。"彼时即移生入中堂。生病渐安，日则肆业于轩间，夜则归宿于堂上。

一日，夜静，生步入兰房西室之前，正见瑜于月桂丛边焚香拜月，生立墙阴以听之。吟：

"炉烟袅袅夜沉沉，独立花间拜太阴。心事不须重跪诉，姮娥委是我知心。"

瑜吟讫，突见生至，且惊且喜曰："闻兄被魅，今安能到此耶？"生曰："若非被魅，安能得此会乎？"乃相与携手入室，明灯并坐。生熟视之，容貌愈娇，肌肤愈莹，情不能忍，乃曰："我肠断尽矣。"欲挽女以就枕。女坚意不从，曰："妾与兄深盟密约，惟在乎情坚意固而已，不在乎朝朝暮暮之间也。苟以此为念，则淫荡之女者也。淫荡之女，兄何取焉！"生曰："卿虽不从，辂之至此，设使他人知之，宁信无他事也？"女曰："但秉吾心而已。"生虽不能自持，然见其议论，生亦喜其秉心坚确，不得已而从，遂相与坐谈。女曰："妾尝读《莺莺传》、《娇红记》，未尝不掩卷叹息，但自恨无娇、莺之姿色，又不遇张生之才貌。见兄之后，密察其气概文才，固无减于张生，第妾鄙陋，无二女之才也。"生曰："卿知其一，未知其二。且当时莺莺有自选佳期之美，娇红有血渍其衣之验，思惟今日之遇，固不异于当时也。而卿之见拒，何耶？抑亦以愚陋之迹，不足以当清雅之意耳，将欲深藏固蔽，以待善价之沽焉？"女正色而言

曰："妾岂不近人情者，但以情欲相期美满于百年也。假使今日苟图片时之乐，玉壶一缺，不可复补，合卺之际，将何以为质耶？"生曰："此事辂任之，勿虑也。但不如此不足以大情之交乎，卿请勿疑。"女曰："谚语有云：'但得五湖明月在，不愁无处

475

下金钩。'正此之谓也。兄自此勿复举矣。"生兴稍阑，乃口念《菩萨蛮》以赠之：

> "不缘色胆如天大，何缘得入天台界？辜负阮郎来，桃花不肯开。　芳心空一寸，柔肠千万束。从此问花神，何常苦逼人。"

女亦口念《西江月》以答生云：

> "借问朝云暮雨，何如地久天长？殷勤致语示才郎，且把芳心顿放。　苦恋片时欢乐，轻飘一点沉香。那时三万六千场，乐汝无灾无障。"

生自后每遇瑜娘，委道百端，略不经意。一见生有异志，则正言厉色以拒之。又作《望江南》词以示生焉。

> 堪叹宝到碧纱厨。一寸柔肠千寸断，十回密约九回孤，夜夜相支吾。　驹过隙，借问子知乎？弱草轻尘能几许，痴云阁雨待何如，后会恐难图。

生情不能已，复继之以诗一绝云：

> 青鸾无计入红楼，入到红楼休又休。争似当

初不相识，也无欢喜也无愁。

女见此诗，笑曰："兄岂不喻往夜之言乎？"生曰："余岂不喻？但以兴逸难当，姑排遣之耳。"暨晚，生归独坐，自思："费尽心机，得达女室，终不见从，必无意于己也。"

至夜，复思："不如与女作别。"至，则长吁短叹，凭几而卧，终不与女一言，问之亦不答。百般开喻，逼勒再三，始一启口曰："我今夜被你断送了也。"女大悟，谓生曰："兄果坚心乎？"生曰："若不坚心，早回去矣。"因呼碧桃添香，呼生共拜于月下，祝曰："妾瑜，生居深闺，一十七岁于兹矣。今夕以情牵意绊，不得已，以千金之体许之于情人辜辂者，非惟有愧于心，亦且有愧于月也。敬以月下共设深盟，期以死生不忘，存亡如一，无负斯心，永远无敎也。苟有违者，天其诛之。"祝罢，挽生就寝，因谓生曰："妾年殊幼，枕席之上，漠然无知，正昔人所谓'娇姿未惯风和雨，分付东君好护持'。望兄见怜，则大幸矣。"生笑曰："彼此皆然。"遂相与并枕同衾，贴胸交股。春风生绣帐，溶溶露滴牡丹开；檀口搵香腮，淡淡云生芳草温。曲尽人间之乐，不啻若天上之降也。虽鸳鸯之交颈，鸾凤之和鸣，亦不足形容其万一矣。辗转之际，不觉血渍生裙，乃起而剪之，谓生曰："留此以为他日之验。"生笑而从之。女以口念《虞美人》词以赠生云：

平生恩爱知多少，尽在今宵了。此情之外更无加，顿觉明珠减价玉生瑕。　霎时丧却千金节，生死从今决。祝君千万莫忘情，坚着一钩新月带三星。

生亦口念《菩萨蛮》以赠女云：

春风桃李花开夜，烛烧凤蜡香燃麝。鱼水喜相逢，犹疑是梦中。　感情良不少，报德何时了。细君问莺莺，何人解此情？

瑜得生词，谢曰："妾今溺于兄之情爱中，故至丧身失节，殊乖礼法，非缘兄亦不至此也。幸为后日之图，则妾之所托亦至此矣。"生曰："五姐千金之身为我而丧，犹当铭肝镂骨以报子之深恩矣，岂肯负月下之盟耶？"

自后生夜必至。一夕，谓女曰："我以亲托于门下，人皆罔知，诚恐他日此事彰闻，亲庭谴责，何颜重上春晖堂乎？"瑜曰："妾虽女流，亦颇知礼，岂不知韫椟之可嘉，失节之可丑乎！以子之情牵意绊，以至于斯，倘他日事情彰明，寻奉巾栉于房帏之中。事若不果，当索我于黄泉之下矣。"遂相与泣下数行。又一夕，生复赴约，女目生良久，曰："观子之容色辞气，决非常人，他日得侍房帏，则虽不得为命妇，亦不失为士夫之妻耳。苟流落俗子手中，纵使金玉堆山，田连阡陌，非所愿也，惟兄之是从而已。"生感其节义，作诗以赠之：

水月精神冰雪肌，连城美璧夜光珠。玉颜偏是蟾宫有，国色应言世上无。翡翠衾深春窈窕，芙蓉褥软绣模糊。何当唤起王摩诘，写出和鸣鸾凤图。

女亦吟一律以答生云：

"深感阳和一气嘘，吹开玉砌未生枝。合欢幸得逢青史，快睹曾应失紫芝。碧沼鸳鸯交颈处；妆台鸾凤下来时。此情共誓成终始，莫把平生雅志亏。"

初，瑜父选民间女之艳色者以为媵，得八人焉。分四与瑜：曰碧桃，曰绛桃，曰仙桃，曰小桃；分四与琼：曰腊梅，曰月梅，曰红梅，曰素梅。父命母诲之。自瑜交通生后，四桃心怀忧惧，惟恐事泄，罪及于己。一日，四桃上书谏曰：

娘子生长名门，深居幽闺，世荣封袭，家极华腴。况兄神态芳菲，懿德清淑，才华充赡，妙手精工，芳名洋溢乎三洲，美誉昭彰于十邑。尚

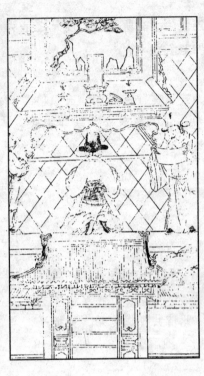

不保身律己，却乃失节丧身，理义有亏，彝伦败致。倘或闺中事露，门外风闻，非惟有损于己身，抑且玷辱于父母。亲庭遣责，他人笑讥，名节荡然，性命难保。诚恐楚国亡猿，祸延林木，城门失火，殃及池鱼。后悔难追，噬脐莫及。苟能先事改过自新，勿蹈前非，待时而动，则娘子幸甚，妾辈亦幸甚！

瑜得书，览毕，喟然叹曰："尔言良是，但余以死许辜生，背之不祥。今日之事，其咎在余，谅必不相累也。"碧桃曰："其然，岂其然乎！娘子若不自新，我辈终当去矣。"瑜泣而谕之曰："余与辜生牵情溺已而成痼疾，身可死而情不可解也。虽苏张更生，不能移吾之初志耳。汝欲去之则去。"四桃同泣而应之曰："妾辈侍奉闺帏，已非一日。娘子开心见诚，推恩均惠，感戴不已，补报无由。倘若事露，娘子捐身，妾辈安能独存哉？誓必不相负也。"乃相抱唏嘘而泣。久之，拭泪吟诗一首，以释闷云。至暮，生至，女乃出所吟诗并四桃所谏书以示。生读之赧然。诗曰：

　　　　一轮明月本团圆，才被云遮便觉残。欲把相思从此绝，别君容易望君难。

　　自后，暮聚晓散九月余，温存缱绻之情，益以加矣。不觉大火西流，金风又起。父母以生久别，遣仆持书促归甚急。生得书，言之叔婶，治装行为归计。生至夜复抵女室，告以将别之由。二人不忍相别，悲不能已。女泣久之，拭泪曰："第无伤感，且尽绸缪，未知后会何时也。"生曰："我去三两月，必至再来，子毋劳苦构思成疾，此时暂别而已。"女吟诗二绝以别生云：

　　　　乌啼月落满天霜，执手相看泪满眶。明月相如归去也，文君从此倍凄凉。

又诗

　　　　秋雨梧桐叶落时，悲秋怀抱正凄凄。多情自古伤离别，莫笑莺莺减玉肌。

生乃以玉耳环馈女，并留题一绝云：

> 黄雀衔来已数年，别时留取赠婵娟。莫将闲事劳心曲，常把佳音在耳边。

暨晚，生以他事不果行。至夜，女命侍女以白金十锭、青布四端、花巾二十条、裙带二十双并词一阕以赆生。词名《柳梢青》：

> 南陌花残，西厢月暗，风雨凄凄。见说君归，顿松金钏，暗减玉肌。　吁嗟后会难期，将何物，表人别离。万斛离愁，千行情泪，两地相思。

生亦立缀排十韵，以赠女别云：

> 驱驰来戚里，特地探仙乡。推馆开纱帐，拦阶随雁行。二天恩不断，一德感难忘。况复兼葭质，亲陪兰蕙旁。尘埃沾洁节，襟袖染余香。月下深盟固，花边思语长。绝胜鱼得水，何异凤求凰。只谓欢娱永，谁知归思忙。百年终有在，一旦不须伤。若问重来日，花黄与菊香。

生别，至家后，行止坐卧，无非为女记忆也；经书、家事，略不介意，终日昏昏而已。先是，城之西北隅有林曰"迈游"，山明水秀，多生佳丽。有名小馥者，字微香，亦美丽超群。其俗有纺纱场之习，生尝游盼其间，与之亦相好也。生有诗以赠之曰：

> 生长茅茨在迈游，微香两字动炎舟。玉般温润千般馥，花样娇妍柳样柔。巧笑千金苏氏小，清歌一曲杜家秋。也知好事人人爱，不可明知但暗求。

微香缉知生归，意其必访己也，日日候待，杳无消息；疑其必有他遇而忘己也，仍效温飞卿体作《懊恨曲》以怨之云：

> 莲藕抽丝哪得长？萤火作灯哪得光？薄幸相思无实意，可怜蝶粉与蜂黄。君何不学鸳鸯鸟，双去双飞碧纱沼。兰房白玉尚缥缈，何况风流云雨了。大堤男女抹翠娥，贵财贱德君知么？夭桃浓李虽然好，何似南山老桂柯。悠悠万事回头别，堪叹人生不如月。月轮无古亦无今，至今长照丁香结。

微香亲书于鸾笺之上以寄生。适生之友王仲显与生检阅诗书，得此曲，问："谁之笔也？"生以实告。遂与王生共探之。微香以生久别，见生大喜，而生忧闷之心凄然可掬。微香以王生在彼，亦不敢诘生。

至夜，王生倦而寝矣。微香谓生曰："自从君之别妾也，不觉乌兔沉东西矣，而妾思君之心不啻若大旱之望云霓也，深藏固蔽以待君久矣。近闻君归，喜动颜色，思得一见而无由。今夜既蒙垂顾，正当缱绻以偿契阔之情，而君之短叹长吁、愀然不乐，何也？岂非疑妾有外意，抑亦君有外遇乎？"生曰："感子之情，亦已多矣。奈何以新变故易，以故变新难。"微香笑曰："妾之言果不差矣。君盍均而惠乎？"生不答。微香曰："君寓临邑，所寓者得非临邑之人乎？"生曰："然。"复问："女为谁名？何氏之女也？"生不肯言。再三逼勒，良久，始言曰："子亦我之情人也，语之何害。子宜秘之，勿言其姓名于人，斯可矣。"微香指灯而言曰："我若违子之祝，有如此灯。请言之，勿虑也。"生乃曰："黎氏，名瑜娘，字玉真。"微香叹息而言曰："此女无双也。其面圆而光，其质富而温，其目淡而澄，其声清而婉，果然乎？"生曰："子之言，若亲见也。何以知之？"微香曰："妾之表亲有善穿珠者，前日往临高，知黎士官宅有此人也。且闻其善诗，有作赠君否？"生乃诵其《柳梢青》与微香，微香击节叹曰："才貌兼全，真天上之人也。子之视我如土芥，宜乎！"乃缀《满庭芳》一阕以赠生：

月下歌声，风前愈觉，遥思当日风流。枕边

言语，尤记在心头。玉佩玎珰，别后空惆怅，永巷闲幽。行云去，才离楚岫，却又入瀛洲。

仙境里，奇逢姝丽，端好绸缪。羡金桃玉李，凤偶鸾俦。一个文章清雅，一个体态娇柔。谁念我，雕栏独倚，一日似三秋。

生观讫，答谢曰："余受卿之情不为不多，负卿之罪不为不少。"立缀《木兰花》一阕以答之：

念当时行乐，乌乍落，兔乍生。向花下重门，柳边深巷，弄笛三声。筚声断，柴门启，见花颜玉脸笑相迎。喜气春风习习，歌喉山溜泠泠。　　自从别后阻归程，非是我无情。奈故思漫漫，新欢款款，誓下深盟。情已固，心意谁评？从今长揖谢芳卿。肠断纺纱场上，月轮依旧光明。

明日，生与王仲显回归。抵家后，因念微香之语，乃赋长歌一篇以贻之云：

　　我生幸值升平时，春风和气长熙熙。幸今喜在繁华地，山水清佳人秀丽。此生此世岂徒然，好展情怀乐所天。不须贪富贵，何必求神仙。万岁虚生耳，纵有千金亦须死。世间万事非所图，惟慕娇娆而已矣。君不见卓文君，至今千载芳名传。古人今人同一致，有能逢之亦如是。人生年少不再来，人生年少早开怀。黄金买笑何足吝，白璧偷期休更猜。我曹不是风流客，懒向金门献长策。脚跟踏遍海天涯，久慕倾城求未得。亲家有貌倾长城，养在闺门十八龄。蕙性芳心真慧默，玉颜花貌最娇婷。春山远远秋波浅，嫩笋纤纤红玉软。暗麝芬芬百合香，绿云绕绕双乌绾。上迫能字卫夫人，下视工诗朱淑真。柳絮才华应绝世，梅花标格更超群。云闺雾阃深深处，罗帏锦帐重重贮。绝似姮娥住广寒，世人有恨无由睹。记得春光三月天，曾寻流水到桃源。春晖堂上分明见，晚绣窗前款语言。僮仆往来传意绪，诗词络绎通情愫。数向花前密约时，同于月下深盟处。烛摇红影照兰房，香喷清烟袭象床。一线枕痕生玉晕，碧梧枝上凤求凰。芳情百纽丁香结，真心一点蔷薇血。个中顿觉两心知，妙处偏难向人说。朝朝暮暮恋高唐，忘却人间日月忙。回首白云归思切，金刀寸寸断人肠。美满恩情呻

吟绝，消魂怕唱阳关叠。依依牛女隔星河，杳杳
行云归楚峡。香罗玉带又何时，惆怅西风泪湿
衣。旧摺牵连推不去，新愁构结有谁知？惟有多
情旧知己，每把甘言慰愁耳。素承佳惠感难忘，
自觉违心惭不已。徐徐思后更思前，回首西风一
怅然。应是前生曾结种，今生偏得美人怜。

微香得此歌，以示其同伴，众口称夸，乃作手卷以赠生
焉，名《双美》，请画图于其首。微香又摅妙思，作《并
美序》一篇以冠其端，复继之以长歌一篇，以传好事者：

> 琼南人物倾天下，才子佳人两无价。吴门越
里何足数，蓬岛瑶池此其亚。画堂重重闭广寒，
青骢白马跃金鞍。奇才美貌皆潘岳，腻体香肌尽
弱兰。弱兰潘岳今何许，听说琼林鸾凤侣。凤友
鸾朋绝世无，一双两好真无比。天与风流年少
郎，声名籍甚动炎荒。风流骥子麒麟种，绘句文
章锦绣肠。生来洒落起尘俗，绣虎雕龙总入目。
万卷诗书千首词，儒林声价金推独。

> 清风明月四清香，胜景名山足遍经。曾向朱
崖开绛帐，忽从戚里遇娇婷。娇婷自是豪家子，
长养绮罗丛队里。天上丽质自超群，百媚千娇谁
与比。水月精神冰雪肌，芙蓉如面柳如眉。春山
淡淡横蛾黛，戛玉铿金满箱帙。光风溜溜泛崇

兰，碧涧溶溶溜皓月。久擅芳名荡海天，风流年少总夸妍。笑他有眼何曾见，羡子相逢岂偶然。偶然相逢真奇遇，时人哪得知幽趣。红叶飘时传丽情，绯花泛水知山路。直入蓬莱第一层，云轩谒拜许飞琼。鲛绡帕上题佳句，鹊尾炉前结好盟。黄莺唤友迁乔木，丹凤求凰栖翠竹。醉风芍药暗生香，着雨夭桃红杏肉。绝似姮娥降月宫，宛如神女下巫峰。翻嫌月殿非人世，却笑巫山是梦中。何似相逢明盛世，早能偿此风流债。负兹通古通今才，遇此倾国倾城态。倾国倾城世无多，通古通今谁复过。绝胜兰香伴张硕，宛然萧史共秦娥。秦娥萧史虽无比，不过如斯而已矣。天香国色产南方，不让中州独专美。嗟予与子素相知，记纺纱场夜月时。求作狂歌赞并美，聊传盛事记佳期。

　　生自别瑜娘之后，倏尔斗柄三移，而相思之心常在目也。奈鳞鸿杳绝，后会无期。是月某日，适值祖姑生旦，乃托所亲于父母曰："某日祖姑诞辰，理当往贺。何吝四哥一行，而不使之往庆之耶？"父从之。次日，遂命生起行。

　　既至，表叔一家喜生再至，莫不欣然。于是复馆生于清桂西轩之下。生遍视窗轩如故，诗画若新，惟庭前花木有异耳。不胜旧游之感，遂吟近体一律以寓意云。诗曰：

一年两度谒仙门，前值春风后值冬。草木已非前度色，轩窗还是旧游踪。重临桃柳三三径，专忆高唐六六峰。知是盟言应不负，虚言万事转头空。

生至数日，不能与瑜一语。因设卧中之计，尚未克果，而祖之寿日届矣。乃制《千秋岁令》一首以庆寿云：

菊迟梅早，报道阳春小。坡老说，斯时好。北堂萱草茂，南极箕星皎。人尽道，群仙此日离蓬岛。

宝日红光耀，金兽祥烟袅。丝竹嫩，蟠桃老。永随王母寿，却笑筏筏夭。画堂年年，膝下斑衣绕。

后一日，生侍祖姑于春晖堂上，忽见堂侧新开一池，趋往视之，正见瑜倚墙而观画焉。生笑而言曰："不期而遇，天耶？人耶？"瑜娘曰："天也，岂人之所能也。不期然而然，非天而何？"遂挽生共坐于石砌之上，且曰："此地僻陋，人迹罕到，姑坐此，徐徐而入可也。"遂相与诉其间阔之情、梦想之苦，自未及酉，双双不离。辄闻婶唤之声，女遂辞去，复顾生云："自此路可以达妾室，兄其图之。"生颔而归馆。

至更深夜静，生遂逾垣而入，直抵女室。时女已睡熟矣。生扣窗良久，女始惊觉，欣然启扉相迓，谓生曰："待兄久不至，聊集古句一绝，方凭几而卧，不觉酣矣。"生问："诗安在?"乃出以示生。诗曰：

月娥霜宿夜漫漫，鬟乱钗横特地寒。有约不来过夜半，月移花影上栏杆。

生览毕，亦口点律诗一首云：

再到天台访玉真，入门一笑满门春。罗帏绣被虽依旧，璧月琼枝又是新。可喜可嘉还可异，相恰相爱更相亲。何当推广今宵事，永作天长地久人。

女亦和云：

洞房今夜降仙真，软玉温香满被春。慢说别离情最苦，且夸欢会事重新。意中有意无他意，亲上加亲愈见亲，欲得此情常不断，早寻月下检书人。

　自是，二人眷恋之情，逾于平昔。一日，生携微香手卷示瑜，看未毕，怒曰："祝兄勿多言，却又多言！妾之名节扫地矣！"生解说百端，女终不与一言。后夜复往，坚闭重门，无复启矣。女方悔己前非，咎生薄幸，终日闭门愁坐，对镜悲吟，一二日间才与生相见。见之，亦不交半语。凡半月间，生不能申其情，悒怏满怀，大失所望，乃述近体一律以示之。诗曰：

巧语言成拙语言，好姻缘作恶姻缘。回头恨捻章台柳，赧面惭看大华莲。只谓玉盟轻荡泄，遂教钿誓等闲迁。谁人为挽天河水，一洗前非共往愆！

女玩味良久，始笑曰："兄寓此久矣，盍归纺场之情人乎？"生曰："卿何为出此言也？独不记月下深盟乎？且辂当时不合失于漏泄，罪咎固无所逃矣。然古人有言曰：'往者不可谏，来者犹可追。'遽忍以往者之小过而阻来者之大事乎？"瑜拜谢曰："兄之心金石不渝，妾之怒聊以试兄耳。"亦续吟一律云：

> 一洗前非共往愆，从今整顿旧姻缘。声名荡
> 漾虽堪怨，情意殷勤尚可怜。任是春光先漏泄，
> 忍教月魄不团圆。莫言幽约无人会，已被纱场作
> 话传。

自此之后，情好如初。一日，以前卷展开评论，瑜
曰："微之才调何如？"生曰："卿乃天上之碧桃，月中之
丹桂，彼不过微芳小艳而已，岂敢与卿争妍嬲也？正昔人
所谓西施、王嫱争洗脚脸与天下妇人斗美者也。"女感其
言，乃吟《长相思》词一阕以戏生。词曰：

> 大巫山，小巫山，暮暮朝朝云雨间，谁怜凤
> 偶闲？歌已阑，乐已阑，才向瑶台觅彩鸾，金波
> 依旧团。

一夕，天色阴晦，生与瑜待月久之，乃同归室，席地
而坐，尽出其所藏《西厢》、《娇红》等书，共枕而玩。
瑜娘曰："《西厢》如何？"生曰："《西厢记》，不知何人
所作也。记始于唐元微之，尝作《莺莺传》并《会仙诗》
三十韵，清新精绝，最为当时文人所称羡。《西厢记》之
权舆，其本如此也欤？然莺莺之所作寄张生：'自从别后
减容光，万转千愁懒下床。不为旁人羞不起，为郎憔悴却

羞郎。'此诗最妙，可以伯仲义山、牧之，而此记不载，又不知其何故也。且句语多北方之音，南方之人知其意味者罕焉。"又问："《娇红记》如何？"生曰："亦未知其作者何人，但知其间曲新，井井有条而可观，模写言词之可听，苟非有制作之才，焉能若是哉！然其诸小词可人者，仅一二焉。子观之熟矣，其中有何词最佳？"瑜曰："《一剪梅》。"生曰："以余看之，似有病。"女曰："兄勿言，待妾思之……"曰："诚有之。"生曰："何在？"曰："离有悲欢、合有悲欢乎！"生笑曰："夫离别，人情之所不忍者也。大丈夫之仗剑对樽酒，犹不能无动于心，况子女之交者！其曰离有悲，固然也；离有欢，吾不之信也。至若会合者，人情之所深欲者也。虽四海五湖之人，一朝同处，而喜气欢声亦有不期然而然者，况男女交情之深乎？谓之合有欢，不言可知矣；谓之合有悲，吾未之信也。"瑜曰："兄以何者为佳？"生曰："'如此钟情古所稀，吁嗟好事到头非；汪汪两眼西风泪，洒向阳台化作灰'一诗而已。"瑜曰："与其景慕他人，孰若亲历于己？妾之遇兄，较之往昔，殆亦彼此之间而已。他日幸得相逢，当集平昔所作之诗词为一集，俾与二记传之不朽，不亦宜乎？"生感其意，乃口占一曲，自歌以写怀云。歌云：

西江月上团团，锦江水上潺潺，荒坟贵贱总摧残，回首真堪叹。回首真堪叹，可怜骨烂名残。须要留情种在人间，付与多情看。待月情怀，偷香手段，这般人真好汉。想崔张行踪，忆温峤气岸，相对着肠频断。此情此意，我尔相逢岂等闲。须教通惯，休教明判，若还团圆，且作风流传。

初交通后，收敛行踪，无罅隙之议，故人无知者。因其再至，情欲所迷，罔有忌惮，一家婢妾，皆有所觉，所不知者，惟瑜父母而已。瑜亦厚礼诸婢，欲使缄口，奈何一家婢妾，皆欲白之。自度不可久留，乃设归计，尚未果也。忽一婢惧事露而罪及己，窃言之祖姑。祖姑以生之驯谨达礼，必无此事，反笞其婢。自是众口渐息。时又叔婶同寓别馆，祖姑昏耄，不知防备，始大得计，略无畏惧之心，暮乐朝欢，无所不至。

一日，生与女同步后园晴雨轩中，徘徊观竹，正谈谑间，而瑜之弟黎铭值而见之。生大骇，恐言于叔婶，乃厚结铭心。初，生有一琴，名曰"碧泉"，平生所嗜好者，铭尝问取，生不之与，至是而遗焉。虽得铭之欢心，然而诸婢切切含恨，惟待叔婶回而发其事。生自思其形迹，不宁，"设使叔婶知之，负愧无地矣！"托以归省，告于祖姑。祖姑固留之再三，生终不从。瑜夜潜出。与生别曰："好事多磨，自古然也。欢会未几，谗言祸起，奈之何哉！兄归，善加保养，方便再来，毋以间隙，遂成永别，使设盟为虚言也。"因泣下而沾襟。生亦掩泪而别。女以《一剪梅》词一阕并诗一首授生，曰："妾之情意，竭于此矣。兄归，展而歌之，即如妾之在左右也。"

　　红满苔阶绿满枝，杜宇声归，杜宇声悲。交欢未久又分离，彩凤孤飞，彩凤孤栖。　别后相逢是几时？后会难知，后会难期。此情何以表相思？一首情词，一首情诗。

又诗

　　万点啼痕纸半张，薄言难尽觉心伤。分明一把离情剑，刺碎心肝割断肠。

生亦缀《法驾引》词一首以别女云：

　　归去也，归去也，归去几时来？峡口云行仙梦杳，雨中花谢鸟声哀。落叶满空阶。真个是，真个是恼人肠。沙上鸳鸯栖未稳，枝头鹦鹉叫何忙。相对泪沾裳。须记得，须记得月前盟。料必两人扶一木，莫移钩月带三星。了此此生情。

女览毕，谓生曰："往者迈游诸女，所赠之诗，意甚忠厚，今将薄礼寄兄以馈之，可乎？"生曰："可。"女乃命侍女取花巾十条、裙带三十三双，与生收讫。女含泪再拜而别。

生既归家后，命仆以女所寄之物以遗纺纱微香。微香寄声与仆曰："寄语辜郎：彼岂不知赵姬之言乎？"仆归以告。友王仲显在焉，生微笑之。友曰："何谓也？""按《左传》赵姬之事，赵姬曰：'好新慢故易'，微香特讽予也。"次日，复命仆持书以贻。微香展而视之，乃唐体诗一律：

> 传与多情旧故人，几乎为尔丧良姻。空怀杜牧三生梦，难化瞿昙百忆身。雨散云收成远别，花红柳绿为谁春？不堪回首纱场上，风雨潇潇月一轮。

微香静而思之，终疑于"为尔丧良姻"之句，欲生之来以实之，亦次韵一律以答之。诗曰：

> 彼情人是我情人，就说无因亦有因。千里相思愁里句，几番欢会梦中身。天边依旧当时月，

洞口时非往日春。若念小楼移手处，重来花下赏冰轮。

生感其意，复以诗一律而绝之焉：

> 纺纱场下好情缘，回首西风倍惨然。已按赤绳先系足，免劳青鸟再衔笺。任从柳色随风舞，莫惜韶光彻夜圆。不是怜新违旧约，由来好事两难全。

微香得此诗，知生之绝己也，然而慕生之心，未尝少替，亦和一律以答生云：

> 纺纱场下旧情缘，怕说情缘只默然。今日翻成班氏扇，当时休制薛涛笺。玉箫已负生前约，金镜偏教别处圆。自是人心多变易，休教好事不双全。

生时名籍甚，郡邑咸欲举生为庠生。生父爱子，不欲远涉利途，恐致离别之苦。然而众论纷纷，无时休息。生潜喜，乘间言于父母曰："除非出外可避。"父喜曰："可往祖姑家少避五六个月，众口无不息矣。"生曰："如或官司逼勒，如何？"父曰："只言随伯父之任矣。"生之伯父有为高官者。父即日命促装起行。

既至，祖姑一家欣喜，待礼如初。生告所来之由，叔曰："倘若不厌寒微，姑寓于此，朝夕与诸少讲明理义，此某之所深幸也。"生拜谢，退居所寓之轩，偶见绿纱窗上题诗一绝云：

> 壁上莺还在，梁间燕已分。轩中人不见，无
> 语自消魂。

生知是瑜之笔，亦书一绝于其旁曰：

> 肠断情难断，春风燕又回。东风和且暖，雅
> 称结双飞。

生思玩间，忽见瑜娘独至，且喜自悲，再拜谓生曰："兄真信士也。缘自兄归之后，媒妁克谐，逮无虚日，父母亦有许之者，但未成事矣。妾心想迫于父母之命，不得已而饮恨于九泉之下，不及与君诀别为怀。今幸不死，尚得相见，殆天意乎！未审计将安出？"生曰："此辂之所以日夜切思者也。盖尝思之有三：亲戚不可为婚，一也；父母之命不可违，二也；不敢言于父母，三也。为今之计，惟在乎卿主之而已。"瑜曰："凡妾可力为者，敢不自效！望兄指引，则善矣。"生密约于女耳边之言。女曰："正合妾意。"言未已，忽听笼中鹦鹉叫："大人回！大人回！"女闻之，遂遁去。临行，反顾生曰："兰房之约，

三更后、四更前，正其时也。”

是夜，月明如昼，万籁无声，生视诸仆皆睡熟，轻步潜至女室。瑜见之，喜不自胜，且曰：“丑陋之质，于兄故不敢辞，但以月明花开之景，不可常得，思与君少同伫赏，以度良宵耳。”生然其言，遂并枕于玩月亭右厢阶下。俄而，婢女数辈捧馐肴至，罗列满前。二人相与劝酬，极尽款曲。女曰：“既逢佳景，可无述作以记之乎？”生曰：“短章寂寥，片文拘泥，与其合笔而和题，孰若同声相应，亦足以见吾二人之勍敌也。”瑜曰：“就以‘月夜喜相逢’为题，五十韵为率。”生即为首倡曰：

今夕是何夕，奇逢不偶然。况当明媚景，正是艳阳天（生）。烂烂星珠灿，圆圆月鉴圆（女）。风轻万籁寂，露浥百花鲜（生）。河影清还浅，奎缠断复连。乾坤真罔极，光景自无边。大地冰壶隐，长空雪浪翻。连枝横鉴发，素晕隔檐穿。更漏转三鼓，槐阴过八砖。溶溶春似海，缓缓夜如山。织女偷情看，姮娥着意怜。千年逢一会，二鸟降双仙。谈笑幽亭上，追随小院前。各分双美具，端的四兼全。旧恨应皆释，新愁觉欲颠。重来谐素约，又共展华筵。何须金石奏，且把海螺传。美酒倾珠落，香羹和玉涎。脍用金刀切，茶将活火煎。冰壶双髻执，罗扇小鬟掾。并枕挨肩玉，低鬟动髻蝉。柔肠频眷恋，莲步漫

周旋。红袖深藏笋，罗衣懒上船。献酬多节重，议论每牵缠。不必宣金石，何劳奏管弦。休乱同坐久，且共把诗联。共吐珠玑唾，同裁月露篇。声声争响亮，字字竞鲜妍。可羡唐商隐，堪夸燕丽鲜。新清开府句，秀丽薛涛笺。佳兴如流水，神词若涌泉。孟郊应退舍，蔡琰可齐肩。转战敌逢敌，擒词玄又玄。刬藤烦字归，香剂情思研。宴罢情将困，吟成意尚牵。掀帏香自馥，入室步争先。好事虽多舛，佳期喜独偏。笑携双玉手，共卧五花毡。莲步移红玉，珊瑚堕翠钿。交加连理树，掩映并头莲。色胆大如斗，丽情深若渊。耳边言切切，心上意悬悬。凤蜡摇红影，龙涎薰碧烟。情痴疑是梦，骨冷不成眠。缱绻两情好，绸缪一意专。既如鱼水乐，又似漆胶坚。了毕平生愿，深酬宿世缘。愈亲须愈敬，相守莫相捐。密约长如此，深盟永不迁。任他沧海竭，此乐尚绵绵。

联成，女出云笺，命小桃书毕，已四鼓矣。不复就枕，但立会而已。生口占一绝云：

"名花并立笑春风，谁识常空一窍通。欲验佳期何处见，白罗衬上有残红。"

自是之后，幽会佳期，殆无虚日；眷恋之情，亲昵之意，有不可得而言语形容者。所作诗词，不可尽述，姑记含蓄意深者十绝：

昨夜东风透玉壶，零零湛露滴真珠。寄言未问飞琼道，曾识人间此乐无？

一线春风透海棠，满身香汗湿罗裳。个中好趣惟心觉，体态惺忪意味长。

脸脂腮粉暗交加，浓露于今识翠华。春透锦衾红浪涌，流莺飞上小桃花。

宝鸭香消烛影低，波翻红浪枕边攲。一团春色融怀抱，口不能言心自知。

葡萄软软蛰酥胸，但觉形销骨节熔。此乐不知何处是，起来携手问东风。

淡淡溶溶总是春，不知何物是吾身。自惊天上神仙降，却笑阳台梦不真。

形体虽殊气味通，天然好合自然同。相怜相爱相亲处，尽在津津一点中。

半夜牙床戛玉鸣，小桃枝上宿流莺。露华湿
破胭脂体，一段春娇画不成。

　　烛尽香消夜悄然，洞房别是一般天。若教当
日襄王识，肯向阳台梦倒颠？

　　鱼水相投气味真，不胶不漆自相亲。两身忘
却谁为我，恐是天生连理人。

　　一日，祖姑独坐春晖堂上，生侍之，顾生，谓之曰：
"昔传姻事为'下玉镜'，何谓也？"生以温峤事为对。祖
姑曰："汝知发问之意乎？"生曰："不知。"祖姑复曰：
"汝宜益加进修，吾之女孙，誓不他适，当合事汝，亦使
温峤之下玉镜台也。"生拜谢。至暮，生以此告瑜。瑜喜，
笑曰："古人有言：'人心同欲，天必从之。'岂虚语乎！"
生曰："明日当辞归，遣媒言议，勿失时也。"

　　明日，遂告归。及抵家，以祖姑之语告其父。父欣然
从之。

　　择日命媒行。既至，以所来之由告叔。叔曰："四哥
才貌，出众超群，可敬可爱，得婿如此，足慰人心。奈他
人讥笑何？"媒曰："何伤乎？温峤之下玉镜台，娶姑之
女。"又曰："老泉女适程氏，舅之子也，况乃孙乎？自
古迄今，但闻传其事以为话，未闻以是病之者，夫何疑之
有？"叔婶允之，遂备黄金二锭、羊一牵为定礼。生婢有
名朝华者，从媒同至，乃出书以示瑜。瑜披读曰：

"玉真小娘子妆次：辂世忝姻缘之契，缔结丝萝；叨因叔侄之情，寓居门馆。讵意天缘会合，亲逢旷世之娇娆；人意交孚，果是前生之配偶。荣生意外，喜溢眉间。缅想淑候，兰蕙其芳，冰霜其洁。秋水为神玉为骨，倾国倾城；芙蓉如面柳如眉，欺花欺月。柳絮因风起，蔼然谢道韫之才；寒藻漾涟漪，粲若朱淑真之文采。诚所谓天上之神仙，君子之好逑者也。辂一寒如此，百技无能，才匪逮人，貌非出众，忝得一拜于云阶，幸已足矣。何况侧身于玉树，恩莫大焉。粉身不足报深恩，万死亦难酬厚德。扪心有愧，揣己何堪！襄间太夫人因亲致亲之言，归心如箭；今见椿府君执柯伐柯之举，喜意若川。倘若叔婶再不他辞，想应汝我心谐所愿。百岁姻缘，在此一举；千金会合，于此片时。专望竭力赞襄，毋使青蝇谐白玉；同心协力，庶教丹桂近嫦娥。则平生之心愿足矣，月下之深盟遂矣。兹因媒氏之行，敬缄鸾而申微悃，特诉凤以候佳音。即辰天地皆春，山川自秀，伏乞保重千金之体，永终百岁之期。不宣。"

后二日，媒氏告归，瑜乃出笺以寄生。书曰：

伏自一别，倏尔旬余。蝴蝶之粉未干，麝兰

之香犹在。松竹之表，尝仿佛于目睫之间；金石之盟，每念昭于心胸之内。忽喜冰人之传事，又兼云翰之飞来，千欣！千喜！恭惟文候，学贯天人，博通古今，风采联贾少年之弱冠，文华负李长吉之奇才，诚所谓文苑中之英华，士林中之翘楚者也。瑜也，貌微无艳，才非道韫，自谓于世而无取，夫何在兄而见怜！幽谷发阳春，多感吹嘘之力；葵花倾晓日，幸蒙光照之私。托庇二天，已非一日。讵意人心有欲，天意果从。因亲复得致其亲，莫非命也；发愿竟能谐所愿，不亦宜乎！忽然手舞足蹈不自知者，自此生顺死安而无复憾。事已定矣，言更何云。惟冀尊所闻行所知，益励占鳌之志；宜其家宜其室，伫看协凤之祥。不须待月于西厢，正好挑灯于北牖。毋使前人独专其美，免思微弱以丧厥躬。伏乞鼎调，以副时望。不宣。

是月也，忽御史按临，遴选其民俊秀者补弟子员。乡老举生为庠生。后数日，生父赍书以告瑜父。生乃吟诗一首，并写花笺以寄瑜云。诗曰：

　　书寄平生故友知，白衣今已换蓝衣。微躯从此如鹰系，佳兆何时协凤飞？上苑杏花愁客去，西厢明月为谁辉！几回暗想兰房事，不觉临风泪雨霏。

瑜得生书，亦作一启并歌一篇以复云：

　　寂寂兰房愁独倚，忽见长须致双鲤。云是琼林天上郎，如今已入黉宫里。入黉宫里为何如？渐磨仁义乐菁莪。方巾员领真超卓，黄卷青灯好切磋。君不见买臣衣锦归乡里，至今名姓光青史。又不见县官负弩迎相如，至今千载扬芳誉。男儿得志皆如此，男儿莫厌穷经史。上方治定崇文儒。彬彬济济纡青紫。夫君子，真英豪，器宇堂堂气象高。心通万卷犹嫌少，日诵千篇不惮劳。此时已入文章岛，如今遂却平生志。鏖战文场应可期，太平治化真堪异。蒲柳应知得所依，凤凰何日又同飞？坐看花诰班班降，羞杀人间俗子妻。

仆归，将诗以示生。

生与同学生览毕，无不叹服称美者。其启中有做句云："但能有理可明，不怕无官可做。"又云："前日之良心因妾既丧，今日之放心在君当收。"又云："莫为蒲柳之姿，堕却云雷之志。"若此之言，非见理分明者，安能及此耶？但恨不见全篇以书记焉。

卷十　钟情丽集（下）

时生入泮宫，不两月间，生父捐馆。生哀毁逾礼，水浆不入口者三日。既葬，躬自负土，不受人助。事丧之后，终日哭泣而已，不复视事。时有白鹤双竹之祥，人以为孝感所致。自是家道日益凌替，而瑜娘之父始有悔亲之心，遂不复相往来。而生以守制故，不暇理事，不相闻者二载。

然而，瑜娘慕生之心曷尝少置？风景之接于目，人事之感于心，累累形诸诗词，多不尽录，姑记一二以语知音者：

《鹊桥仙》

征鸿无信，游鲤无信，更相望断春潮无信。玉郎何处不归来，怎禁许多愁闷。　　青山有尽，绿水有尽，惟有相思无尽。眼中珠泪几时干，肠一寸截成千寸。

《瑞鹧鸪》

芭蕉叶上雨难留，松柏梢头风未收。万闷千愁无着处，并归心上与眉头。　　肠如袜线条条断，泪似源头混混流。倚遍栏杆人不见，满天风雨下西楼。

《长相思》

春望归，秋望归，目断江山几落晖？啼痕点点垂。朝相思，暮相思，终日何时是尽期，腹心寄与谁？

《一剪梅》

雨打梨花深闭门，辜负青春，虚负青春。伤心乐事共谁论？花下消魂，月下消魂。　　愁聚眉峰尽日颦，千点啼痕，万点啼痕。晓看天色暮看云，行也思君，坐也思君。

《满庭芳》

愁锁春山，泪潺秋水，时时独向西楼。望穷千里，山水两悠悠。惆怅故人独在，离别后，日月难留，肠断处，愁愁闷闷，风雨五更头。相思何日了？无肠可断，有泪空流。湘江潮信断，楚峡云收。只恐寻春来晚，东君去，花谢莺愁。兰房下，何时与你，交颈绸缪。

时有同郡富室符氏者，素闻瑜娘才色，闻生久不至，遂散财赂，冀必得瑜娘为婚而后已焉。故有与瑜娘父言者，非誉符家道之华腴，必称符才貌之出众；非言生家道之萧条，必毁生行止之落魄。瑜父遂欲解盟，然犹虑构成词讼，犹豫未决。又有为其画策者，曰："内外兄弟姊妹，不可为婚，法律所禁。倘或兴讼，以此推之，何畏之有？"遂决意许符氏，然犹未敢轻动。或劝其家纳符氏聘礼者，瑜父从之。

后瑜娘缉知，悲不自胜，以死自誓，终不他适。黎闻之怒。瑜乃以白巾自缢，赖众知觉救解，得免。黎方觉悔。

然瑜之心虽不肯从，而符之盟终不可解。正忧闷间，忽值其姑适王氏者归宅，黎命之解慰瑜心。乃从容劝瑜百端，瑜应之曰："结亲即结义，是以寸丝既定，千金莫移。儿非不爱荣盛而恶贫贱，但以弃旧怜新、厌贫就富，天理有所不容，人心有所未安。"姑以瑜言告黎。黎曰："瑜言诚有理，奈彼符氏何！"凡瑜所亲爱者，皆令劝之。

一日，碧桃乘间谏瑜曰："娘子懿德娇颜为诸姊妹中之巨擘，然诸娘子俱适名门宦族，或田连阡陌，或金玉盈箱，娘子独许寒酸，妾辈甚不惬意。近见大人别缔良姻，甚喜，甚喜。娘子何故短叹长吁，减却饮食，损坏形容，而为伤感之甚耶？"瑜曰："汝知其一，不知其二。古人有言：'今日之富贵，安知异日不贫贱乎？今日之贫贱，安知异日不富贵乎？'彼符氏虽富，而子弟之品不过一庸夫而已，纵有金玉盈箱，田连阡陌，生为无名人，死亦作无名之鬼，何足道哉！且辜生虽贫，丰姿冠世，学问优长，他日折丹桂如采薪，取青衿如拾芥，何患不至富贵乎？未受他人盟约，尚当求择其人，况先受其人之聘而负之，可乎？有死而已，誓无他志！"

一日，绛桃复谏曰："自从定亲于辜生之后，一别三年，谅必他娶矣。娘子何故劳心苦志以思之？"瑜曰："汝勿言，吾意已决矣，纵苏张更生，不能摇动。且辜生久不至者何哉？盖生之为人，孝心纯笃，乃翁捐馆，方泣血而不暇，况有心相忆乎！"又曰："夫愿相守而厌相离者，淫妇之道也；托终身而期远大者，贤女之所虑也。尔何以淫妇期我，而不以贤女期我也？"绛桃拜谢而去。

未几，生家苍头忽持书至，密以一笺付瑜。瑜泣读之，乃叠韵诗一首。诗曰：

一自往年边扁便，无奈鳞鸿专转传。劝君莫把海山盟，移向他人擅闪善。

自是生即禫之后，夜就枕间，忽梦往黎室。至相见，托延至于春晖堂后新创亭上，坐，顾其额曰"剪灯书窗"。壁间所挂吹弹歌舞四画，上题有诗，附录于此：

谁家有女颜如玉，手持几竿昆仑竹。镂玉编云一片形，含商弄羽千般曲。一声迟，晓起丹山彩凤啼，一声疾，半夜孤舟嫠妇泣。一声喜，秦楼仙侣同飞起。一声悲，异时忠臣乞食归。十分妙趣真无比，良工写入霜缣里。时人莫道是无声，仙声不入凡人耳。

（右调《佳人吕玉箫》）

中虚外实木一片，吟向佳人怀里见。玎玎珰珰几点声，细细粗粗四条线。一声清，半夜天空万籁鸣。一声浊，八月秋风群木落。一声苦，昭君马上啼红雨。一声欢，妃子宫中洗禄山。风流画史龙眠老，笔端写出心机巧。劝君莫道是无声，仙声不入凡人耳。

（右调《美人弄琵琶》）

及生至黎室，正想间，忽见瑜至，相见之际，再拜再悲。遂相携手入于兰房之内，二人席地而坐，历道其梦想之苦、解盟之由，相对泣下。已而，瑜收泪言曰："今日相逢，将以为可喜，则又可悲；将以为可悲，则又可喜。悲耶？喜耶？吾不得而知之。"生曰："苦尽甘来，一定之理。前日之别固为可悲，今日之逢则又可喜。可悲者既已过矣，可喜者当以与卿共之。"瑜遂命绛桃取酒，与生共饮；复命仙桃以侑觞。仙桃请歌东坡《水调歌头》。生曰："时势不同，情怀各异，彼调虽妙，非吾事也。"乃止。缀《念奴娇》一曲，命仙桃歌之。绛桃和之。

> 牵情不了，叹人生、无奈别离多少。一自殷勤相送后，天际归舟杳。倩女魂消，崔微梦断，瘦得肌肤小。寒闺深闭，肠断几番昏晓。　怅望凤鸟不至，妖禽怪鸟，恣狂呼乱叫。悄悄忧心何处告，且喜故人重到。满酌流霞，浩歌明月，与尔开怀抱。等闲信笔，写出《念奴娇》调。

曲尽，二人相顾，泪洒数行。已而，复相谓曰："今夜相逢，何啻梦中，可无述以记之乎？"生请其题。女曰："以'梦寐'为题，不亦宜乎？"生遂援笔书于纸屏之上：

> 久别喜相会，春从何处来？四眼频相顾，双睛何快哉！对此一盏灯，如醉又如痴。大旱见云霓，和羹得盐梅。忧心冰似泮，笑脸天如开。呼童且奉酒，与君开此怀。

写毕，忽听角起樵楼，钟鸣梵宇，推枕欠伸，乃是南柯一梦。

而且忆其诗词，因起而录之。始欲治装竟寻旧约，奈何秋闱在迩，正吾人当发愤之际也，更兼有司催逼赴试甚急，生无奈何，只得起服回学肄业。故特命苍头北行，以申前好。岂知瑜父不以生为念，终无一言以及亲事，但厚赂以馈生耳。苍头临行之际，瑜乃以笺付之，令持以献生。

一日，苍头抵家复命，具言以结盟符氏，生心大恚。复闻瑜有书奉寄，生大喜，拆而视之，乃情札一纸，并诗十韵。生读之，叹曰："清才丽句，虽李易安、朱淑真不过是也。"书曰：

　　妾瑜，盖尝因亲致亲，虽有惭于圣训，以爱结爱，岂有负于初心？敬陈悃愊之诚，上达高明之听。伏念妾瑜三才末品、一介女流，愧无倾国倾城之姿，且有至愚至陋之累。叨蒙不弃，肯结契缘；复感纳聘，重申结好。感恩有日，报德无由。岂期凶变于门，山崩水竭，遂使鱼沉湘水，雁杳衡阳。一别悠然，三年在迩。寸心千里，眼穷云海之微芒；一日三秋，肠断光阴之转递。前言难践，后会何时？风风雨雨不曾停，闷闷愁愁何日了！罄南山之竹简，写意无穷；决东海之洪波，流情不已。愁如云而常聚，泪若水以难干。春苑花开，怅满艳阳之景；夏凉燕乳，情嗟长养之天。秋观明月倍伤神，冬玩香梅增感慨。警于心，触于目，无非惆怅之时；俯乎人，仰乎天，尽是相思之处。一心怏怏，两泪汪汪。一日十二时，时时怅望；五更三四点，点点生愁。坐如尸，立如斋，形同枯木；瞻在前，忽在后，目若紫芝。簪折瓶沉，月下已辜向日约；香消玉减，镜中无复旧时容。密约成虚，怕过旧时游处；欢娱陈迹，难期后会何时。深怀千言万语，与谁说浇；决尽一心一意，惟子是从。愿若果乖，虽生无益；情如不遂，便死何妨！岂抛彩凤文鸾，去逐山鸡野鹜？父纵许盟于异姓，妾肯委质于他人？誓于此生，靡敢失节，皇天后土，实所鉴临！碧落黄泉，要同一处。天作比翼鸟，地成连理枝，允副王郎之愿；生为同室亲，死为同穴鬼，毋为居易之言。赵璧重完，尚希躬往；乐镜再合，早致良图。姑共挽桓君之车，庶免抱淑真之恨。偿足死生之债，莫负锱铢；未终龟鹤之龄，长坚金石。诚能如此，妾虽垂首九原之下，亦且甘心矣。惟兄是图之，毋使落他人之手也。临书肠断，不知所云。更有平日所作鄙句，并用奉呈。

朝朝暮暮忆崔徽，鬓雾蓬松泪两垂。蚕茧丝丝何日了，鹭鸶骨瘦几时肥！西厢待月人何在？北里锵鸾事已违。肠断画梁双紫燕，飞来飞去又飞归。

相思相望泪频倾，欲化云娘恨未能。帘外厌闻无喜鹊，窗前愁伴有心灯。千般娇媚颜何在？

一种风流病又增。可惜佳期成阻隔，愁愁闷闷几层层。

红颜薄命古今同，不怨苍天只怨侬。松柏岁寒终不改，鸳鸯颈白也相从。要知赵客终完璧，莫学陈王只赋龙。今日西厢门下过，汪汪雨泪洒西风。

鸾凤分群失一友，朝思暮忆倍凄凉。当时何啻鱼游水，今日方成参与商。流泪泪流流尽泪，断肠肠断断无肠。风流有债难偿子，独对西风叹几场。

平生志愿未能酬，百岁姻缘一旦休。两股钗分诚有日，一根簪折整无由。愁攒眉上铅难尽，泪落床头枕欲浮。倘若情缘中道绝，微躯此外复何求。

寂寂深闺尽日闲，伤情无语倚栏杆。恨从别后生千种，愁拥心头结一团。藕断也知丝不断，烛干信是泪难干。他时若落庸夫手，璧碎珠沉也不难。

雨打梨花倍寂

寥，几回肠断泪珠抛。睽违一载更三载，情绪千条有万条。好句每从愁里得，离魂多自梦中消。香罗重解知何日，辜负巫山几暮朝。

两地相思各一天，可怜辜负月团圆。每盟金石坚孤节，生怕红尘随俗缘。鸾鸟柔肠虽断尽，鲛绡鲜血尚依然。花开月白人何处，无奈千愁万恨牵。

浊纸鲜鲜染泪红，遥传长恨寄匆匆。须知身在情终在，务要生同死亦同。苏雁影沉传去后，秦箫声断月明中。云收雨散知何处，目断巫山十二峰。

如此钟情世所稀，这般心事有谁知？丁香到死香犹在，竹节经霜节不移。有意有心常怅望，无言无语但呆痴。碧梧翠竹无由见，一日思君十二时。

生得书后，遂整饬再寻旧约，奈何秋闱在迩，有司催逼赴试急，生不得已，即时回学温习旧业。与友人数辈，虽朝夕同学共榻，然而思慕瑜娘之心无时不然。他不暇及，集古人诗句十首，以思瑜焉。

岂是丹台归路遥，月魂潜断不胜招。何因得荐阳台梦，几度难寻织女桥。惨惨凄凄仍滴滴，霏霏沸沸又迢迢。砌成此恨无量处，纵得春风亦不消。

丈夫身上泪沾襟，书尽谁怜得苦吟。紫府有缘同羽化，瑶台无路可追寻。能消造化许多力，不受尘埃半点侵。惟有当时端正月，只应常照两人心。

花有清香月有阴，断肠魂梦两沉沉。才开暖律先偷眼，莫为游蜂便吐心。薄雾浮云愁永昼，落花流水怨离琴。相思一夜梅花发，夕梦时时到竹林。

鱼在深渊月在天，魂归冥漠魄归泉。相思相见知何日，多病多愁损少年。独坐独行还独立，相怜相爱莫相捐。两情宛转如心素，愿作鸳鸯不羡仙。

擘破云鬟金凤凰，离人别处倍堪伤。双双瓦雀行书案，两两时禽噪夕阳。谁爱风流高格调，我怜真白重寒芳。而今往事谁重省，说与流莺也断肠。

路隔星河去往难，罗裳不暖午风寒。朱经玉树三山祷，共待天池一水干。阆苑有书难附鹤，碧桃何处共骖鸾。山长水阔人还远，春色无由得再看。

临高万丈日斜西，相望长吟有所思。白雪为肌玉为骨。芙蓉如面柳如眉。鸳鸯被合抛何处，红叶蛾黄化为迟。独倚栏杆意难写，援毫一咏断肠诗。

云想衣裳花想容，美人千里思无穷。春从流水三分尽，心有灵犀一点通。长乐梦回春寂寂，馆娃愁重雨濛濛。不堪吟罢重回首，更隔巫山几万重。

寄语麻姑借大鹏，琼台重密许飞琼。常疑好事皆虚事，谁识鸾声似凤声。雾鬓云鬟差玉颈，云裙月凤想娉婷。此时为汝肠肝断，一片伤心画不成。

月窟媚娥不惜栽，天花冉冉下瑶台。独教罗邺能吟毕，曾是刘郎再看来。满眼春愁无处着，半生怀抱向谁开？此时愁望情多少，一寸相思一寸灰。

诗既成，乃命仆持书报黎，称"将赴试"，密付前诗，以寄瑜娘。瑜见之，不觉失声长叹，亦集古诗十首以复生曰：

故园东望路漫漫，泣血悲风翠黛残。去日渐多来日少，别时容易见时难。春蚕到死丝方尽，沧海扬尘泪始干。无可奈何花落尽，五更风雨五更寒。

玉容寂寞倚栏杆，抱得秦筝不忍看。桂树参天烟漠漠，月娥霜宿夜漫漫。春花秋月何时了，暮雨朝云去不还。正是消魂时候也，金炉香烬漏声残。

残妆漏眼泪栏杆，睹物伤情死一般。三径冷香迷晓月，十分消瘦怯春寒。黄花冷落不成艳，青鸟殷勤为探看。天若有情天亦老，可怜辜负月团圆。

黄菊枝头破晓霜，此花不与俗人看。车轮生角心犹转，蜡炬成灰泪始干。云鬓懒梳愁折凤，晓妆羞对怕临鸾。故人信断风筝线，相望长吟泪一团。

暑往寒来春复秋，故人别后阻山舟。世间美事难双得，自古英雄不到头。豆蔻难消心上恨，丁香空结雨中愁。欲知此后相思处，海色西风十二楼。

百岁中来不自由，同君身上属谁忧。金丹拟注千年貌，仙鹤空成万古愁。岂有蛟龙曾失水，敢教鸾凤下妆楼。两身愿托三生梦，几度高吟寄水流。

枯木寒鸦几夕阳，自从别后减容光。遥看地色连空色，人道无方定有方。披扇当年叹温峤，此生何处问刘郎。愁来欲唱相思曲，只恐猿闻也断肠。

天上人间两渺茫，天涯一望断人肠。多情不似无情好，尘梦哪如鹤梦长。沧海客归珠送泪，

坠楼人去骨犹香。人生自古谁无死，烈烈轰轰做一场。

天涯海角有穷时，此恨绵绵无绝期。明月清风如有待，冷猿秋雁不胜悲。曾听弄玉人间曲，只许高人个里知。寂寞日长谁问我，每因风景寄君诗。

真成命薄久寻思，独立沧浪自咏诗。粉面怕遭尘土浼，此心惟有老天知。诗成夜月人何在，花落深宫雁亦悲。今日春风亭上过，寒猿晴鸟逐时啼。

写毕，令仆持报以复。

生见瑜诗，叹赏不已，思慕倍常，功名之心如雾之散，眷恋之意若川之流。不觉成疾，勿能言动。旁求良医，拱手默然，莫知所以。有一后至者，叹曰："此必害相思之病也，虽卢扁更生，亦莫能施其术。诚能遂其怀，不治而自愈矣。"初，生之遇瑜，人莫知之也，至是，闻医者之言，举家失措，莫知其由。乃询诸仆，咸曰："不知。"询之玠哥，始以实告。即时命仆亟至临邑，别以他事诣瑜父，而密以实告祖姑。祖姑得之，窃以言瑜。瑜即解玉戒指一枚并鱼笺一幅，以投仆，曰："饮之即愈。"仆回抵家，遂以玉戒指磨水，与生饮之，顿觉轻减，稍稍能言。仆乃以瑜娘所与之笺呈上。生拆视之，乃诗一首云：

妾即君兮君即妾，君今有恙妾何安。凤凰倒了连云翼，松柏须宜保岁寒。当日造端良不易，从今燃尾谅犹难。天应怜悯人辛苦，破月应知自有圆。

生览诗数次，忽觉身健，渐渐病愈。时槐黄在迩，生以病故，不克赴试，始有重访旧游之意。

又月余，仍催装复抵黎室。既至，表叔以生久别，眷待甚厚，延于宣抚外堂之西庑。生见颇有外之之意，意甚不快。又以瑜娘平昔敬重于生，疑其必有交通，每使瑜弟黎铭伴生。生自念负疾远来，思欲与瑜一致款曲，留连半月，竟莫能得，悒怏殊深。

忽值瑜母寿旦，夜间设席庆寿，生入伴斋，至三更后，遂轻步入瑜房中。瑜正忧间，见生前至，相与唏嘘，叹息久之。已而，细诉衷肠，论其间阻解盟之事、致病之由，不胜凄惨。言犹未尽，忽闻门外呼唤之声，生遂含泪而别。临行之际。瑜谓生曰："兄姑留此，不数日父亲将有远行。"生曰:"诺。"

后数日,黎与子果去。生大喜。即日黄昏,外门未闭,生直至女室,相携玉手,同至剪烛西窗。生顾窗中诗画,宛如梦中,无有或异。于是始谋私奔之约,生深然之。既而,参横斗落,遂不复寝,乃相送而出。东方渐白,门犹未启,二人相返于剪烛轩下。此轩远僻,人迹罕闻,乃制《南宫一枝花》一曲,按琵琶歌以赠生。夫瑜平昔善歌,恐闻于外,昔时生每强之不得,今请自歌之。生心欣听,响遏行云,声振林木,骇然惊服。词名《一枝花》,带过《小梁州》:

春愁艳色中,夏景繁华里,秋悲霜降后,冬恨雪零时。触目攒眉,许多情意,心事有谁知?三年里几字不通,一日间百忧并集。

《小梁州》

望碧天,茫茫不尽;念青鸾,杳杳无期。可怜辜负深盟誓。玉人何处?招之不至。乐昌镜破,凤钗双离。萧郎箫断,蔡琰笳悲。怪累朝鸟雀频啼,喜今宵玉手同携。《小梁州》,漫把曲儿歌,大都来细把离情诉,声声短叹长吁。钟情到此,悲欢离合都经历。怅杀我无双翼,安得双双花并蒂、对对凤于飞?古人言:'在天愿作比翼鸟,入地愿成连理枝。'这言儿也、君须记。死生随你。问我何归,相思而已。

歌毕，天明，生乃出。瑜遂书前曲，命婢持示生。

生制《耍孩儿》一曲，暮春同游，命瑜歌之，生拂弦以和之。并附于此：

《耍孩儿》

老天生我非容易，把俺置入花天月地。欢娱正值少年时，况两人貌美才奇。我便是琼瑶藏中无双宝，你便是紫阳场中第一枝。往古谁堪比？冠世才、风流曹子建，倾城色、窈窕太真妃。

《五煞》

虽二人、只一身，十分佳、一样齐，根如连理花同蒂。琪花瑶草相晖映，玉蕊金英付护持。谁知得、真情意。博山下深深密约，洞房中悄悄幽期。

《四煞》

情乍深渐妮亲，头炉交又解携，回头间别三年矣。尔思予两行红粉泪，予思尔几句断肠诗。鳞鸿绝、书难寄。百样相思端绪，万般离况情思。

《三煞》

可胜叹嗟！椿树倒、痛在心，那堪岸泮严束系。欲重来，奈多修阻不克谐。我的心情，秋冬春夏四时里，恨怨悲伤四字儿。此无聊不在心，

便在眉。令那割人肠的花开月白，那更苦人心的
燕语莺啼。

《二煞》

我只道破镜不圆，谁承望去璧重归。诉艰
辛、一一从头起。耳才闻处肠先断，口未言时泪
早垂。相对几声长吁气：哀哀怨怨，噫噫唏唏。

《煞尾》

此意儿重若山，此情儿融似泥。两人莫负平
生志。情粘骨髓刀难割，病入膏肓药怎医？任生
生死死，要一处相依。

《尾声》

如此如此，永由伊。由伊肯嫁情人，殒身做
一个风流鬼。休独使崔张、卓司马专美。

自是之后，多会于漱玉亭上。

次夜，生复至，且约以是月中秋，相与践东门之约。
瑜允之。

次日，生将辞归，适黎亦回，乃设席以待生。酒至半
酣，黎起，举杯谓生曰："往日时误结丝萝，有乖国法，
今思改正。且瑜娘，老夫所钟爱者，不欲外适，恐致相见
之难，将求佳婿以赘之。况且子既绊于文林，必历乎仕
路，但与瑜娘相呼为兄妹，不亦宜乎？"生听其言，唯唯
从命。复以红罗一匹以与生，曰："劳子远来，无以为馈，
聊以表吾违约之过。子其纳之。"生亦受之不辞。宴罢，

日暮，生回室，思欲与瑜一会，重申旧约，奈何无间可乘，转辗反复，莫能成寝。既晓，瑜乃命碧桃以罗鳞趾一片并近体一首以别生云：

> 间别三年始得逢，才逢数日却匆匆。一身归去轻如叶，万恨生来重似蓬。莫把仙桃轻漏泄，好教云翼早相从。向来言约君须记，只在中秋一月中。

生归家数日，复往旧约。及至，不复露身，但寓于佣夫之家，阴使老妪为通情焉。至中秋夜，赏月罢散，俱已醉寝，瑜乃窃开后门走出。时生正伫立俟候，忽见瑜至，相与同到寓所。命佣夫抬轿，至海滨。时舟在岸，生乃抱瑜登舟，渡海而东。半月间，始得登岸。其程中所作《八景》，附此：

《兰房寂寞》
素娥今夜到蟾宫，鹤怨猿悲惆怅中。香冷博山人不

见，秋风秋雨泣寒蛩。

《花槛萧条》

绕栏浓艳四时开，都是区区手自栽。此生莺花谁是主，故园猿鹤不胜哀。

《仙门夜月》

惨淡中秋半夜天，相期私出小门前。回首见月颜何厚，步未移时泪已涟。

《古道秋风》

野草寒烟望眼荒，秋风飒飒树苍苍。不知此地是何处，怕听猿声恐断肠。

《博浦开船》

平生不省出门前，今日飘零到海边。同驾木兰从此去，鹤归华表是何年？

《扁舟驾浪》

一叶轻舟鼓浪行，摇摇摆摆几层层。也知平日优游好，争奈安从险处成。

《孤棹摇风》

苦爱风流不肯休，西风吹起浪波流。人言舟里黄泉近，终日昏昏怕举头。

《列楼登岸》

沙白茅黄海气腥，人言此地是丰盈。岸头举目非吾土，两泪汪汪别二亲。

登岸之际，忽见仆夫在彼俟候，迎瑜归家。

既至，择日设花烛之会，行合卺之礼。二人交欢之时，不啻若仙降也。乃于枕上共成一词，以识喜云。词名《一剪梅》：

> 金菊花开玉簟秋，鸾下妆楼，凤下妆楼。新人原是旧交游，鱼水相投，情意相投。　举案齐眉到白头，千岁绸缪，百岁绸缪。顶香待月旧风流，从此休休，自此休休。

自是之后，符氏缉知，具状词告于郡。

时倅郡者由进士出身，博学好事，亦重风情案，闻生之才名、瑜之佳誉，勒生与瑜供状词。辂供曰：

> 伏以不告而娶，固知获罪于圣门；窃负而逃，未免有乖于国法。虽然有咎，未必无因。谨具状由，备陈始末。缘念我祖之妹、我父之姑，早适临高之县，厥姓曰符，厥官曰土，世居临邑之乡。所有孙女，正及可笄之岁；念予小子，先成结谊之盟。自是冰人亲断千金一诺，复兼月老更交礼于双璧。玉镜之台，吾已下矣；芙蓉之褥，余得隐焉。讵念人心不测，天地无常，俄焉时候，倏尔云亡。彼海翁遽然易虑，慕彼千金之值，欺予六尺之孤，弃旧好而结新欢，见小利而忘大义。父心母意虽欲更张，女愿男情粘滞不

了，是以犯在色之戒，通和好之私。日盛月新，胶坚漆固，两情难舍，百计无由。万虑千里，惟恐破乐昌之镜；三更半夜，遂窃效卓氏之逃。自博浦而下船，至烈楼而登岸。艰于山，险于水，始克到家；寄诸东，转诸西，未遑宁处。冤家有头债有主，已被告明；官司无党亦无偏，从公勘审。今蒙唤问，所供是实，得罪惟甘。尚冀审缘由，果孰先而孰后；曲成斯美，俾有始而有终。望大人宽宏法之仁，小子遂宜家之乐。生则仰天而祈祷，死则结草以报恩。不在多言，伏乞台鉴。

瑜娘供状：

妾瑜告则不得娶，所以悖理而私奔；观过斯知仁，尚望容情而恕罪。荷申悃愊，上渎高明。伏念瑜父生母育，忝处中闺，师顺婉闲，谨训内则。先时结谊，以缔好于辜生；近日解盟，复许亲于符氏。欲从乎先进，则不顺乎亲；欲适乎后人，则有伤于信。是以犹豫而莫决，未知定向以适从，三思于心，两端互执。出乎此则入乎彼，理势必然；舍乎利而取乎义，心情方慊。况且符氏粗粗鲁鲁，孰若辜子颙颙昂昂，泾渭判然，薰莸别矣；难离难合，不得不然。所以月下花前，预许偷香之约；更阑人静，竟为怀璧之逃。驾一苇之仙舟，凌千层之碧浪；渡蓬莱之仙境，抵琼馆之名区。谁想洞房之乐方深，而符氏诬词已下；枕席之欢未已，而府中胥吏来拘。自作自欢，事已发矣；吐情吐实，伏乞鉴焉。尚冀秦台之镜照临，孟母之刀剖析。庶俾一段良缘，始终美满；免丧三分微命，翕剜云亡。夫如是，则妾再生之辰也。谨具厥由，详情乎理。

郡摔览毕，以朱笔判曰：

盖闻《易》备三才，贵阴阳之正义；《诗》称四始，开男女之及时。《春秋》著谨始之友，经书重大婚之礼。兹乃彝伦之大，实为风化之原。著于理径昭昭者也；传诸后世，郁郁乎哉！矧今圣化，人物衣冠之盛，不异中州，尚期媲美于鲁邹，岂意犹存于郑卫。切照书生辜辂，初知文墨，略涉诗书，况能怀席上之珍，何患无书中之玉？处子瑜娘，生长富华，性质婉婉，何不韫匮藏之宝，待夫善价之沽？却乃逞己私情，污吾淳俗，非独有违于国法，抑且有叛于圣经。揆诸理而罪固难逃，原其心而情实可恕。再照土官黎稠，蠢小黎蛮，野哉羯者，不能修理帏幕，安能制服黎民？矧今背约欺孤，损贫就富，事由其

始，罪所当先。原
告符氏，猴头曾尾，
狼子野心，不能揣
己自量，却又夺人
匹配。且复捏虚词
诬告，欺诳官司，
理既有亏，法当坐
罪。牵连之人数，
各科断于本条。呜
呼！一理所存，两
端互执。欲断之符

氏，恐开争占之方；欲断之辜生，虑起淫奔之
路。是故度以中正之道，宜归父母之家。风流案
自此打开，陷人坑从今填满。旷夫怨女，永无间
言；债主冤家，大家解结。一惟圣朝之律，深惩
荡俗之非。凡诸后生，当鉴前辙。判语已毕，合
属施行。

于是命黎父领之回。

　　先是，二人淹滞囹圄，极情凄惨。乃至判断明白，将
使瑜父领瑜前回，二人相语别曰："妾与君历尽危险，备
经辛苦，犹不得遂其美满之情，今日系于囹圄之门，此人
之意恶者也。非缘兄，亦不出此。我父又将领妾远回，今
夜与君在此，不知明日又在何处也。死则已矣，倘若不

死，庶毋相忘于患难之中。"二人抱头大恸，绝而复苏者数次。既而，拭泪立会数次，极其绸缪，不觉樵阁日上三竿。女遂自摘其发系生之臂，生亦摘发以系瑜臂。已而，仰天叹曰："纵今生不得为同室人，亦当死为同穴鬼；纵有死生之殊，永无违背之异。皇天后土，其证之焉！"瑜乃口念《沁园春》一阕，歌以别生。每歌一句，长叹一声。满狱闻之，莫不掩泣。歌曰：

"夫为妻去，妻为夫死，死又何难？念狼虎丛中，曾经险阻，镬汤狱里，受尽辛酸。有口难言，含冤莫诉，碎了心肠烂了肝，愁杀处，见君尤缧绁，我独生还。

恩情万种千般，誓死死生生永不单。这三世冤家无解结，一条性命惜摧残！生不同衾，死当同穴，付与符氏冷眼看。须记取，绵绵长恨，天上人间。"

女别时，生之婢女以酒送瑜。瑜出一简以付之，使其与生。乃《醉春风》词一曲：

玉貌减容色，柳腰无气力。可怜好事到头非。啾啾唧唧，彩凤分飞。宝瓶坠井，魂招不得。　　回头长叹息，血点盖胸臆。乾坤有尽意无穷，惜惜愁愁，嗟嗟叹叹，相思闷极。

瑜娘既出，生亦疏放，而溺于所爱，恩愈厚而情愈深，终日不食，终夜不寐，痴痴呆呆，如醉如梦，动静语默，皆思瑜之心形也。其至精神耗损，容有变色，所为之事，旋踵而忘，不知其与荀情崔魄，孰果先而孰后也。尝作《玉蝴蝶》令一阕云：

憔悴玉人去也，深盟已负，幽怨难招。终日昏昏，无赖无聊。恨如山，重峰叠嶂；愁若线，万绪千条。想娇娘，眼波波深恨，旆摇摇难招。

游魂飞散，金钗脱股，玉带宽腰。被冷香残，兰房寂寂，长夜迢迢。僧金迦，倩谁解结？风流案，何日能消？可怜俏玉人何在，风雨潇潇。

又诗曰：

临见长叹息，好事到头非。一点心难杇，千年愿已违。离鸾终日怨，塞雁几时回？寂寂寒窗下，无言但泪垂。谁想凤和凰，翻成参与商。灯残心尚在，烛冷泪还长。当日同司马，如今似乐昌。相思成痼疾，自觉断中肠。

瑜娘自归之后，黎幽之冷室，使之自尽。瑜终日独自

悲吟，欲殒命，然以未得与生诀别，尚不能忍，乃作哀词
八首以自吊云：

　　　　暗室兮寥寥，长夜兮迢迢。欣欢兮今何在，
天涯兮亦何遥。愁频结兮不能消，魂已飞兮不能
招。风流债兮偿未了，鸳鸯颈兮何时交。

　　　　妾心兮悲又悲，皇天兮知不知？想思兮此
际，相见兮何时？雁儿东去，燕儿西归，镜已分
兮钗已离。心盟有在兮君应不违，灵神作证兮吾
将谁依？在天愿作兮比翼鸟，在地愿为兮连理
枝。天地兮无穷尽，此情兮无绝期。

　　　　日在兮青天，鱼在兮深渊。天与渊兮悬何
切，我与君兮合无缘！不怨父兮不怨母，不怨人
兮不怨天。但怨红颜多薄命，倚门长叹泪涟涟。

　　　　幽室无人兮与鬼交亲，微喘苟存兮与鬼为
邻。愁眉兮终日聱，幽恨兮几时伸。誓此生兮不
惜身，即与子兮合其真。生当为兮同室人，死当
为兮同穴尘。

　　　　春风桃李兮今何在，秋雨梧桐兮增感慨。填
不平兮美满坑，偿未了兮风流债。香罗重解兮何
时，佳期已失兮难再。

　　　　百年伉俪兮一旦分张，覆水难收兮拳拳盼
望。倘若不遂所怀兮死也何妨，正好烈烈轰轰兮
便做一场。莫教专美兮待月西厢，何心偃仰兮苦

恋时光。

树欲静兮风不休，梗欲停兮波不流。海纵枯兮心尚在，石虽烂兮情犹存。于今堪叹亦堪悲，无缘佳期不到头。甘向牡丹花下死，便为情鬼也风流。

只为君情兮若牵缠，遂使今日兮受斯愆。窃负而逃兮真可慊，缧绁而拘兮犹可怜。父兮母兮不相见，兄兮弟兮不相捐。与其苟生于人世，孰若饮恨于黄泉！

词成，黎以公干之县，祖姑乃窃开纵瑜潜而出。时出家仆来探访消息，瑜乃出一简付之，命遗与生。生拆视之，不觉放声大哭。其书曰：

妾与君自交会以来，殆始四载于斯矣。吾兄使妾眷恋之心始终弗替，绸缪之意生死弗改。瑜月下之盟，口血犹未干也；灯前之语，德音尚在耳也。妾拳拳是念，切切惟思，未尝一日而去怀，惟冀与子偕老而已。曩者中秋之行，始得遂志，自谓可以驯至百年而不负，灯前月下之心遂矣。奈何无知恶小切齿，在州构成官讼，遂至钗分镜破，簪折瓶沉。父母恶之，乡人贱之，臭秽彰闻，闺门骈笑，良可悲夫！妾今幽居别室，风月不通。正欲自尽也，则恐自经沟渎，人莫知

之；正欲苟存也，则将何面目去见父母？是以犹
豫未决，思欲与子一诀而后捐身也。呜呼！百年
伉俪，一旦分张；千载佳期，时难再得。想迎风
待月之时，握雨携云之会，其可得乎？吁！不可
得也。此妾之所以长叹深悲者也，所以饮恨长逝
者也。妾所以作哀词录之以奉呈焉，以表生死不
忘之志。瑜泣血谨书。

生览毕，忽焉如有所失，乃作《嗟嗟凤侣》六章以自广
云：

嗟嗟凤侣，在
天一方。思之不见，
我心孔伤。
嗟嗟凤侣，在天一
涯。思之不见，我
心孔悲。
嗟嗟凤侣，非梧不
栖。胡为乎哉，一
东一西。
嗟嗟凤侣，非竹不
食。胡为乎哉，一
南一北。
嗟嗟凤侣，遭幽囚

兮。一日不见，如三秋兮。

嗟嗟凤侣，落樊笼兮。一日不见，如三冬兮，使
我心忡忡兮。

生即日促装兼道而行，直抵黎之左右潜居焉。使人以
密告祖姑，祖姑密以告瑜。瑜闻生至，思得一见而无由，
乃作《首尾吟》二律以馈生云：

生不从兮死亦从，天长地久恨无穷。玉绳未
上瓶先坠，金轸初调曲已终。烈女有心终化石，
鲛人何术更乘风？拳拳致祝无他意，生不相从死
亦从。

生不相从死亦从，吁嗟好事转头空。暌违已
似河边柳，偶得全凭塞上翁。幽香未消幽恨结，
此身虽异此心同。拳拳致祝无他意，生不相从死
亦从。

辜生是日又得此诗，越加忧惨。知瑜以死相许也，乃
溺恨燥肠作赋，名曰《钟情》，密以馈女云：

予自与卿交合之后，悲欢离合，莫不备经。
然后知吾二人钟情之至，亘古至今，天上人间所
未有者也。自前寓此，仓卒并日，埋身晦迹，一
月余矣。思与子一会，以叙往昔之好，以成往昔

之盟，以谐往日之愿，以践往日之言，不可复得，可胜叹哉！近得子所作《首尾吟》二律，感伤悲戚，怨恨凄惨，且以见吾子之无二志矣。读之再三，感之不已。呜呼！不知何时复得相见也。兹不揆愚鲁，强写情怀，作成鄙赋一篇，名曰《钟情》。夫情所钟者，皆吾与子经历之所履也，不待赘言已可知矣，然未有不因言而见心者也。吁！韩子所谓‘物不得其平则鸣’，岂虚语哉！今因人便，敬述谬作以寄吾子，希吾子其采之。虽然，文华虽工，无补于事，要在践言耳。同生死人辜辂拜首献赋曰：

心动为情，与生俱生。蕴之而为至中之德，发之而为至和之声。至微至妙，惟纯惟精。因乎万物之感，故有二者之名。叹夫人之所禀虽同，我之所钟独异。非忧惧之切心，匪爱恶之介意。杳杳焉莫究其由，茫茫焉莫窥其际。但见感乎物，应乎中，触于目，着于躬。乾旋坤转，吾情之无穷也；日往月来，吾情之交通也；春风和气，吾情之冲融也；骤雨浓去，吾情之朦胧也；泪之洒然，气之嘘然，吾情之所以如山如峰也。然一身之有限，而万状之无涯。既而乐之，乐忽变而哀，情之所钟，为何如哉！察其所由，源源而来。想其月明风清，寂无人声；兰扃启矣。情人止矣。尔乃一气潜消，两情不已；贯两玉而一串，洽两身而一体。翱翱焉焉猗猗焉，不啻乎凤之和鸣、枝之连理也。虽文萧之绊彩鸾、三郎之幸妃子，天下钟情之乐，又岂加于此哉！至若子规声苦，秋闺夜雨，人既归兮，臂既解兮，尔乃恨结于心，愁塞于眉，嗟赤绳之缘薄，叹鳞雁之音稀，肃肃焉，切切焉，奚啻乎雁之失群、鸾之分飞也。虽溺爱之荀情、多情之崔魄，天下钟情之苦，又岂有加于此哉！呜呼！噫嘻！吾之与子，交情之至，止于此矣！方跨粉墙，游洞房，待月明，窃仙香，赴云雨之幽会，期天地而久长，此情之钟于乐之一也。及其辞阆苑，归琼馆，赴佳期，望穿眼，念日月之流迈，伤春景之不返，此情之钟而为苦之一也。及至久别而相逢，久窒而复通，携琴以遂相如，举案以待梁鸿，此又情之钟而为苦之一也。讵意事发入于公门，身居于图圄，埋龙剑于狱中，分明镜于江浒，此又情之所钟而为苦之一也。情兮情兮，钟情立此当何知！乐极哀生，言既不虚；苦尽甘来，言岂我诬？悼往者之不可救，念来者之犹可图。望赵卿之返璧，期合浦之珠还。誓此心兮，生死不殊；誓此情兮，生死不逾。身虽异处，情非二途。卿其我乎？我其卿乎？钟情之赋，止于如斯，复何言之可言欤！乃从而歌之曰：乾坤易尽兮，情不可极。云雾可消兮，情难释。江海可量兮，情难测。情之起，先天地无始。情之穷，后天地无终。微此人兮，吾谁与同？微此情兮，吾何以终！

瑜览赋毕，不觉失声大哭。既而，援笔修书一览以答生云：

同生死人妾瑜拭泪含涕，谨布心声，特令便人代为申达微意，以渎情人辜兄：妾惟悲欢相继，虽事势之必然，生死同途，实人情之至愿。皇天后土，鉴一生无二之心；霜竹雪梅，秉万古不移之节。春情如海，永不枯干；盟誓若山，何由转动？但恐情命短短，物在人亡，空垂首于九原，枉分身于两处，为此悲耳，岂不哀哉！妾今在幽房，何殊地狱。吞声哽咽，绝如泣血之子规；顾影悲吟，恰似失群之孤雁。欲苟延性命，亲却不从；将殒灭微躯，兄又不至。伤心积恨，岂止一端；残喘微躯，惟欠一死。感兄不弃，幸轻百里而来询；嗟妾无缘，不得一朝而朝见。室迩人退，空怀恨焉；月缺花残，实可伤也。近得情书飞坠，华翰传来，浏亮新奇，凄凉惨切，备尽悲欢离合之状，极夫风流慷慨之言。蹙额开缄，含泪披读，泄胸中之苦趣，开笔下之陈言。奈何纸短情长，未免言穷意并，伏乞采之，实为

幸也。

黎归，闻其母纵瑜，大怒，愈加禁锢，节其饮食。生潜住月余，不复通其消息，愈加忧怏。然赖祖姑时加问，且命生姑留于此，因便窃发。

又月余，值黎岳父之诞辰，黎偕其妻俱往之外氏。是夜，祖姑乃穴墙纵瑜而出，命佃人舁之，随生东归。

数日至家，再设花烛之宴，重誓山海之盟。生乃命婢把酒，与瑜共饮。欢甚，生口占一绝以侑女云：

"经霜松柏愈森森，足见平生铁石心。今夜灯前一杯酒，故人端为故人斟。"

瑜接卮，亦吟一绝以答生云：

"经霜松柏愈苍苍，足见平生铁石肠。今夜灯前一杯酒，故人端为故人尝。"

瑜复酌酒，再酬生云：

> "经霜松柏愈班班，足见平生铁石肝。今夜
> 灯前一杯酒，故人端为故人谈。"

生接卮，亦吟以复云：

> "经霜松柏愈青青，足见平生铁石盟。今夜
> 灯前一杯酒，故人端为故人倾。"

瑜归之后，祖姑乘间劝黎，因许瑜归宁。祖姑密使人报生知，夫妻遂备礼起行。既至，俯伏请罪。居月余方归。

瑜娘孝敬其姑，恭顺其夫，待姊妹以和友为先，遇仆婢以恩惠为本。一家内外，无不敬之。机杼之精，剪制之巧，为一时之冠，时誉翕然称之。暇日，则与生吟咏。厥后生掇巍科，偕老百年，永终天命。

玉峰主人与生交契甚笃，一旦以所经事迹、旧作诗词备录付予，令为之作传焉。既成，乃为之赞曰：

> 伟哉辜生！卓冠群英，玉质金声。懿哉瑜
> 娘！秀出群芳，国色天香。日秀日芳，今古无
> 双。可羡可嘉，千载奇逢。意密情浓，成始成
> 终。洋洋美誉，流播乡间，莫不曰善。斯色斯

才，生我琼台，猗欤休哉。玉峰主人，笔力通神，相像写真，作此传记，传之无涯。

王峰主人庆生诗：

　　　　几回离合几悲欢，如此钟情世所难。雪冻不催松落落，飞蛾难掩月团团。丰城龙剑分终会，合浦明珠去又还。从此玄霜俱用尽，好将诗句咏关关。

侯轩陈隐公诗：

　　　　好将诗句咏关关，青鸟何妨再探看。无可奈何风大急，似曾相识月团团。画蛇笑彼安蛇足；失马知君得马还。好把风流收拾起，早携书剑上长安。

玉峰主人结：

　　　　早携书剑上长安，莫恋人家岁月长。金榜题名千古旧，布衣换却锦衣还。

张　于　湖　传

宋朝淮西和州泾阳县，有一秀才，姓张，名孝祥，字安谷，号于湖。腹中背记五车书，胸内包藏千古史。因恋新婚，不赴科第。其父作诗以诫之，云：

> 西风飒飒逼槐黄，文士纷纷赴选场。休恋凤
> 衾鸳被暖，桂花香似麝兰香。

于湖见诗，遂上京应举。幸喜高登，除授江西临江县尹。在任一清如水，四民咸仰。

一日余闲，往临江亭观玩。但见山青水秀，景物鲜明。见正面屏风画着潇湘八景，在壁"范蠡归湖"，右壁"子房归山"。攸攸之乐，猛然触心，遂于壁上题诗一首云：

> 洞庭潮送客，景物晚烟笼。雨过山岚静，潮
> 回港舣通。北去搜千叠，南来转万蓬。不欲趋朝
> 去，江边学钓翁。

题毕，归衙。

后不觉日月如梭，三年任满，越升州通判。未任一年，改升金陵建康府尹。带领伴仆王安，雇船前去。

来到扬子江，过金山寺，见十数人驾快船一只，问云："来船莫不是建康府尹张爷爷的么？"于湖叫王安答道："只说不是。"王安依言回答。那接官公人去了。王安问曰："相公因何不要公人跟随入城？"于湖曰："他们

跟着，不得闲行游玩。且同你入城寻亲访友，茶坊酒肆，勾栏寺观，俱以游玩，方可理任。"

来到通江桥边，时八月天气，尚且炎热。于湖吩咐王安："上岸寻个寺观，烧汤洗浴。"王安行无半里，见一座道观，向前与门公唱喏，曰："我官人行船辛苦，欲借浴堂洗澡，未知允否？"门公曰："待小人与观主说知，然后请进。"门公告知观主。观主曰："天气炎热，洗浴何妨。"传语请入。

王安报知于湖。于湖即入轩前与观主相见。但见观主头戴星冠，身披鹤氅，人物清标，丰姿伶俐。于湖暗忖曰："不知来到此间，得遇此观主恁般风韵。"遂调《西江月》词一阕，单道观主妙处：

> 半旧鞋儿着稳，重糊纸扇风多。隔年煮酒味偏浓，雨过天桃色重。　　强距公鸡快斗，尾长山雉枭雄。烧残银烛焰头红，半老佳人可共。

544

吟毕，与观主分宾主而坐，观主问曰："尊官何处？高姓大名？因什到此？"于湖曰："小生洛阳人氏，姓何，名通甫。游玩至此，天气炎热，敬到上宫，借求一浴。请问观主高姓？贵寿？"观主答曰："贫道在俗姓潘，年四十有八，讳名法成。"正说之间，帘栊响处，只见一人俄然而入，头戴七星冠，身披紫霞服，皂丝绦，红绒履，约有二十余岁，颜色如三十三天天上玉女临凡世，精神似八十一洞洞中仙女下瑶池。生得丰姿伶俐，冠乎天成。于湖一见，荡却三魂，散了七魄。观主令她进前，稽首施礼毕，伫立一旁，启唇问曰："官宰高姓？"于湖曰："姓何，名通甫。"那道姑曰："小道事冗，不及陪奉。"稽首而去。于湖曰："好个佳人，可惜做了道姑。"又问观主曰："适间来者是何院观主？"曰："就是敝观知客。"

正问之间，只见小童请相公沐浴。于湖至浴堂浴罢，到客房梳篦整冠。值门公在侧，便问："门公多少年纪？"门公曰："小人今年六十二岁。"于湖曰："你在此几年？"门公曰："有二十余年。"于湖又问曰："你身上衣服，谁管你的？"门公曰："小人但得三餐足矣。衣服有无，随时过日。"于湖谓王安曰："你去船中取布一匹，赐与门公做衣服穿。"王安取与门公。门公拜谢。于湖就问门公曰："方才鹤轩相见，姓名什么？哪里人氏？今年几何？"门公曰："姓陈，名妙常，今年二十三岁，金陵建康府人氏。"于湖曰："她的宿房在哪里？"门公曰："在东廊第一间便是。"言未已，被女童来请相公晚斋撞散。

于湖到鹤轩相见，

谓观主曰:"蒙容洗浴,又赐晚斋,何以克当?生之舟中炎热,故假馆借宿一宵,来日便行,自当拜谢。"观主曰:"无伤。如若未行,宽住几日。"

当晚斋罢,于湖闲步东廊之下,明月如昼,吟诗一首:

> "浩荡偏宜八月秋,蟾光皎洁照诸州。谁家宝镜新磨出,挂在长空忘却收?"

闲行之间,听得琴声响亮,见座黑门楼半开,挨身而入。见十余个道姑盘环而坐,知客中坐抚琴。于湖叹曰:"此女正是凤凰入鸡伴,难以类比。"正看之际,忽然琴弦已断。知客曰:"莫不是有人盗听吾琴?"于湖慌忙而转身,言曰:"何年日月,再逢此女,吾愿足知。"遂题诗一首于粉壁,以叹其美:

> 星斗当天月正圆,忽闻窗畔理琴弦。瑶池降下真仙子,看罢教为独惨然。

尾后书"洛阳才子何通甫题"。题毕,回房歇息。

次早,门公来请早斋。斋罢,却待收拾起程,只见门公报曰:"知客有请。"于湖即至知客房中,分宾主而坐。茶罢,知客曰:"夜来轩中有失迎迓。"于湖曰:"冒渎多端,不罪幸矣。"观见壁上有诗,而读曰:

晓日瑶台夜气清，天风吹落步云声。尘根未
尽俗缘在，千里关山月正明。

于湖读罢，问曰："此诗何人所作？"知客答曰："昔汉光
武游王母宫，见仙妃在彼，数日抚琴，故作此诗。第一
曰，是非之心，人皆有之，故作'天风吹落步云声'。"
于湖暗忖："十分人物，写作俱高，有十二分奇妙。"知
客曰："小道今日上殿回来，见壁间题有佳作，重蒙过
奖。"于湖曰："小生冲撞贵寓，窃听琴音，回房乱道
《临江仙》小词以奉。"知客拆开读之曰：

"误入蓬莱仙洞里，松阴忽睹数婵娟。众中
一个最堪怜。瑶琴横膝上，共坐饮霞觞。　　云
锁洞房归去晚，月华冷气侵高堂。觉来犹自惜余
香。有心归洛浦，无计到巫山。"

知客看罢，忖曰："正是引贼入寨。"于湖曰："休要见
笑。"知客曰："重蒙所赐，又好笑，又好恼，小道意欲
答相公，勿罪。"于湖曰："小生诚为抛砖引玉耳。乞见
教。"知客落笔即写《杨柳枝词》一阕云：

襄王魂梦云雨期，两心痴，子今无计恋琼
姬，自着迷。道心坚似絮沾泥，不往飞。任取杨

枝作柳枝，强挨尸。

写罢，于湖观看，大笑。知客曰："班门弄斧，幸勿哂焉。"于湖曰："诚所谓人才双全，非世之常出也。"然于湖看毕，亦作《杨柳枝》词以奉云：

> 碧玉冠簪金缕衣，雪如肌。从今休去说西施，怎如伊。杏脸桃腮不傅粉，最偏宜。好对眉儿好眼儿，觑人迟。

写毕，知客观见，不语，亦作前词以答：

> 清净堂前不卷帘，景幽然。闲花野草漫连天，莫胡言。独坐黄昏谁是伴？一炉烟。闲来窗下理琴弦，小神仙。

于湖看毕，即忙起身。知客曰："言词冒犯，宥非为幸。"于湖谢别，到船中叫王安取绢一匹，送至观中，谢了观主。进城上任理事。

那陈妙常懊恨不及，从此惹起凡心，常有思念之意。不觉又是十月初一日，本观设斋，会集众道姑，道姑齐来与观主稽首。正问答间，门公报曰："外有一秀才，言称和州泾阳县人，姓潘，要见观主。"观主曰："请他进来。"门公出去，引到鹤轩相见。观主问曰："侄儿几时

到此？"那潘必正拜了四拜，退而言曰："列位姑姑，就
此相见。"众道姑还礼，俱各请坐。观主与众道姑曰：
"这是我侄儿潘必正也。从家而来，家眷安否？"必正曰：
"俱各平安。有书在此。"观主曰："几时离家？"必正曰：
"旧岁十二月离家，正月到京应举，二月初九日头场过了，
忽然患病，未得终场。待欲回家，奈有书在此，未及下
得，所以特来拜见。"观主曰："行李在何处？"必正曰：
"在船上。"观主曰："你与门公去搬上来，住数日，另讨
船回去。"必正同门公将行李搬至观中。观主叫女童洒扫
后房，与必正安歇。

　　次早，必正到各道姑房里相访讫。闲坐之间，问门公
姓名。门公曰："小人姓戚，名中立。"必正又问曰："东
廊尽头那个道姑，姓什名谁？"门公曰："姓陈，名妙常。
吟诗作赋，抚琴诵经，无有不能。"必正曰："曾有秀才
过客与她赓和否？"戚公曰："曾有个客人，姓何名通甫，
号为洛阳才子。是我引他见妙常，将布一匹，送与小人。"
必正即将绵䌷海青一件与他，又吩咐曰："休对人说我将
衣服送你。"戚公谢曰："小人谨领。"必正就调一个《相
见杨柳词》封了，令门公送与知客。

　　门公见妙常曰："潘官人特来相访。"妙常微笑曰：
"在哪里？请进。"必正向前施礼，分宾主而坐。茶罢，
必正曰："适间小生送一柬，奉呈叱览，孔幸。"妙常读
曰：

"傍观道观过茅屋，惊人目。星冠珠履逍遥服，能妆束。绝世仪容琼姬态，倾城国。淡妆全无半点俗，荆山玉。"

妙常看毕，惊曰："此人言词典雅，字若龙蛇，况兼人物厚重，比那何家大不同。"妙常曰："多承佳句。请问官人青春有几?"必正曰："二十有五。"又曰："哪月寿旦?"必正曰："八月十三。"妙常曰："官人是大。"必正曰："知客是几时寿旦?"妙常曰："目下不远。"

正说之间，小童来请，曰："观主有请。"必正即回。见了观主，观主问曰："你这几日身体如何?"必正曰："托庇苟安。"观主曰："小心住一程回去。"必正曰："以是搅扰姑娘。"茶罢，相别。

到房中，自思曰："回心甚急，奈被此人勾住，又得姑娘相留。"十分喜悦，就在房中抚琴。陈妙常在花园听，曰："此曲乃《凤求凰》也。"暗暗喝彩而回。

次日，妙常使女童来请必正吃茶。必正即到房内，依次而坐。茶罢，妙常将琴放在几上，烧炷好香，打个稽首，请必正抚琴。必正曰："不能。"妙常曰："何故太谦？"观主曰："必正先抚一曲，然后知客亦抚。"抚毕，各自散了。

自此，往来半月。一日，必正走到妙常房中。女童曰："官人请坐。"必正曰："师父何在？"女童曰："去石城长春院访一观主，未回。"必正见书厨未锁，开拿一部《通鉴》来看。内有一帖，见了大惊，去了三魂，荡了七魄。读曰：

> "松院青灯闪闪，芸窗钟鼓沉沉。黄昏独自展孤衾，欲睡先愁不稳。　一念静中思动，遍身欲火难禁。强将津唾咽凡心，争奈凡心转盛。"

必正曰："此是凡胎俗骨，何苦出家，有此怨意？不若乘机嘲戏，她若不从，却有招词在此。"亦写《西江月》一首云：

> 玉貌何须傅粉，仙花岂类凡花。终朝只去恋黄芽，不顾星前月下。　冠上星簪北斗，案头经诵《南华》。未知何日到仙家，曾许彩鸾同跨。

写毕，放在砚匣底下，露些纸角出来。把《通鉴》安顿了，却待转身，妙常回来，与必正相见，叙礼坐定。必正问曰："何来？"妙常曰："长春院观主患病，去访，留吃中饭。有失相迓。敢问潘官人中膳否？"必正曰："正欲回房吃饭。"妙常曰："宽坐，取琴来请教一曲。"取琴安几，见砚匣下一简，拿出观看。此时柳眉剔起，星眼圆睁，叫道："好也！好也！潘必正，是何道理！此间是清净道场，祝圣之所，写什淫词艳曲，调戏良人！先到观主处说明，再到官府处定夺！"必正双膝跪下，曰："望师兄高抬贵手，一时狂兴，误写此词，伏乞恕罪！"妙常曰："你是读书之人，此理难容！定要与观主说知，再不许上我门来！"必正曰："自古道'有风不可使尽帆。'有应即对，有问即答。"妙常曰："我有什言词许你？"必正曰："'强将津唾咽凡心，争奈凡心转盛。'斯言果何谓耶？"妙常回嗔作喜，曰："从何而来？"必正曰："在我袖中。"妙常用手来取，却被必正抱住，曰："同到你观主处说明，却送官司定夺。"妙常陪笑曰："罢了，落在你手中。"眉来眼去，情兴如火。必正曰："且将这两个女童如何发落？"妙常就叫两个女童送一幅素绢与长春院观主，这两个女童去了。

必正妙常乃携手同入兰房。必正曰："死生不忘卿恩。"妙常曰："你莫比等闲看，我身犹处子，并无点泄。"卸下星冠，脱下衣服，取一幅白香绫帕，亲手取红。必正见了，心中大喜。妙常曰："潘郎，这是五百年前结了这段姻缘，今日交付与君，休使贱妾有白头之叹。"交

552

会间，恰似鸳鸯戏水，浑如鸾凤穿花。喜孜孜连理共枝，美甘甘同心结蒂。恰恰莺声，不离耳畔；喃喃燕语，甜吐舌尖。杨柳腰，点点春浓；樱桃口，微微气喘。星眼朦胧，细细汗流香玉体；酥胸荡荡，涓涓露滴牡丹心。真合美爱色情多，怎比偷香滋味别。又有一篇《南乡子》词，单道日间云雨。词曰：

> 情兴两和谐，搂定香肩脸贴腮。手摸酥胸软似绵，美奇哉，褪了裤儿脱绣鞋。　　玉体着郎怀，舌送丁香口便开。倒凤颠鸾云雨罢，多情今夜千万早些来。

云雨罢，起，妙常带了冠子，问曰："还是带冠子好，不带冠子好？"必正遂作《鹧鸪天》一阕云：

> 卸下星冠睹玉容，宛如神女下巫峰。霎时云雨欢娱罢，无限恩情两意浓。　　轻搂抱，款相从，时间一度一春风。若还得遂平生愿，尽在今宵一梦中。

妙常看罢，曰："今夜不许你再来。我要上殿诵经，不可污了身体。"必正曰："总不如锦帐欢娱，便是非常之乐。"妙常曰："不要闲说。"必正遂出一联，与妙常对云：

"霎时云雨，难同彻夜之欢娱。"

妙常对云：

　　"半晌恩情，怎比通宵之快乐。"

必正曰："承蒙不阻，犬马不能报也。今夜莫上殿罢。"
妙常曰："待我上殿回来，你房正连着我房，晚间掇梯从
墙上过来，使观主不疑。"必正欢喜无限，吟诗一首云：

　　"一见仙容不下怀，愁眉深锁几曾开？多蒙
　　窈窕殷勤意，暮暮朝朝暗约来。"

写毕，妙常看罢，大怒，回诗一首：

　　"君还欲我隔千山，我欲还君弹指间。今日
　　与君成配偶，莫将容易意阑珊。"

必正曰："承蒙师兄佳意，我辈如何发遣？"妙常回嗔作
喜，曰："自今为始，以夫妇叙礼，不许以师兄称。"正
说之间，女童回来，阻生。必正作别回房。
　　次早，见姑娘。姑娘曰："侄儿身体如何？"必正曰：
"稍安。"辞别回房，坐定，自思："妙常生得十分人物，

写作俱高。"正欲掇梯过墙，只见日色未落，不得到晚，口吟一诗云：

"红轮何苦不衔山？伫立阶前几度看。但得疏星三四点，免教仙子候花间。"

吟毕，只闻楼头鼓擂，寺内钟鸣，众道姑上殿各散，回房睡了。必正关了房门，正欲掇梯过墙之际，只听得隔墙叫一声，"潘必正！"叫者是何人？

花面金刚，玉体魔王。绮罗织就豺狼。法场斗帐，牢狱牙床。柳眉刀，星眼剑，绛唇枪。口美香舌，蛇蝎心肠。共他者，无不遭殃。纤尘落水，片雪投汤。秦是强，吴越比，也为他亡。早知色是伤人剑，杀尽世人也不妨。

必正听叫，连忙下来，却是姑娘。姑娘曰："你

哪里去?"必正曰:"登厕。"姑娘曰:"你弹一曲《凤友鸾交》与我听者。"必正即抚。及毕,姑娘去了。

必正依旧上墙,陈妙常接着下来,两个携手到亭子上,并肩而坐。妙常曰:"你先上墙来了,如何又下去抚琴?"必正曰:"如此,如此。"妙常曰:"早是不曾过来,倘若被她看见,如何是好?"必正看看一座好花园,但见:

> 淡烟笼院宇,薄雾罩池塘。双双粉蝶宿花丛,对对游蜂穿柳砌。湖山隐,依稀见座峰尖;池沼汀清,仿佛一天星斗。飒飒金风穿绣幕,团团明月透珠帘。

妙常曰:"等你不来,因见湖山石眼透出月光,遂吟一绝云:

> "蟾蜍一线透湖山,斜倚栏杆偷眼看。仰观斗柄横三点,心忙移步出花间。"

必正听得,大笑曰:"我不能得日落,口吟四句,韵脚一般相同。"妙常曰:"愿闻。"必正吟曰:

> "红轮何苦不衔山?伫立阶前几度看。但见疏星三四点,免教仙子候花间。"

妙常曰："何期不约而自同如此？"必正曰："我与你同心同意，前世分定夫妻。"言罢，二人入房，解衣共寝，覆雨翻云。正是：欢娱嫌夜短，颠鸾倒凤，犹如粉蝶探花心。欢戏间，不觉天晓。必正仍归旧路去了。

次日，见姑娘。姑娘曰："吃早饭未？"必正曰："未曾吃。适来偶见一太医，看脉，说我身体甚是虚弱，若不用荤腥调理，恐伤性命。"姑娘听罢，吃了一惊。便叫门公买酒肉果品之类，送在必正房中。必正检入。

到晚，将酒肴与妙常同饮。正是：竹叶穿心过，桃花上脸来；茶为花博士，酒是色媒人。灯光之下，看妙常有倾国倾城之色。口占《菩萨蛮》一阕云：

"芸房空锁倾城色，万态千娇谁能及？何幸到鸾帏，春心不自持。　　点染香罗帕，遂我平生愿。此处会云英，何须上玉京？"

妙常听罢，亦口占《菩萨蛮》云：

"香衾初展芭蕉绿，垂杨枝上流莺宿。花嫩不禁揉，春风卒未休。　　千金身已破，默默愁眉锁。密语嘱檀郎，人前口谨防。"

必正看罢，情兴越浓，遂解带云雨。及罢，即于枕上说海誓山盟，就中诉深情蜜意。忽闻邻鸡三唱，最怪的晓霞穿碧落，偏嫌的红日照纱窗。必正披衣起，回。

自是之后，约有半年之期。必正一日与妙常闲坐，只见妙常两眼垂泪，眉头不展。必正将手帕与妙常拭了眼泪，问曰："因何这等烦恼？"妙常袖里取出一个帖子，递与必正，必正看时，却是《临江仙》词一阕，云：

> 眉似云开初月，纤纤一搦腰肢。与君相识未多时，不知因个什，裙带短些儿。　茶饭不餐常似病，终朝如醉如痴。此情尤恐外人知，专将心腹事，报与粉郎知。

必正看毕，曰："既有此事，何不早说？有什难哉！"妙常曰："我平日在此欺着手下的人，今日做出这丑事，如何是了？只得寻个死路，免污他人耳目。"泪下如雨。必正曰："但放心怀。待我明日入城，赎一帖堕胎药。吃了便好。"妙常曰："我晓得你做个脱身之计，去了不回。我命只在今夜。"必正曰："若有此心，天地不佑。"

辞别妙常，入到城中。正行间，只见喝道前来，必正避不及，街傍伫立。却是必正的故友张于湖。于湖一见必正，连叫："住轿！"与必正相见。邀必正同到府中，分宾主而坐。茶罢，于湖问曰："行馆何处？"必正曰："在城外女贞观姑娘处。"于湖曰："令姑是何人？"必正曰："是住持潘法成。"于胡曰："既是此观，其中有一好物在彼。"必正曰："兄长何以知之？"于湖曰："旧岁在彼借水洗浴，曾作《柳枝词》。"必正曰："莫不是洛阳才子何通甫的作？"于湖细说，二人大笑。必正亦备言前事。于湖曰："不难。你捏作指腹为亲，为因兵火离隔，欲求完聚，告一纸状来，我自有道理。"

必正别了于湖，回到观中，与妙常具说前事。晚间，到姑娘房中，必正双膝跪下，将妙常之事，说与姑娘。姑娘曰："我已知之。但不知你肯娶她么？"必正曰："小侄愿娶。"姑娘曰："叫她来，问她。"必正叫妙常到房里，见了姑娘。姑娘曰："你做得好事！"妙常低头不语。姑娘曰："去写状子来，明日进城去告。"

次日，三人同到建康府中下状。当日，三人跪下。太守问曰："告什么状？"观主人告："乞还俗事。"太守曰："卷帘。抬头。"叫妙常，问曰："你曾云'清净堂前不卷帘'？"唬得陈妙常魂不附体。太守曰："潘必正、陈妙常二人既是指腹为亲，各供本身之事。供得明白，准你还俗。"必正供曰：

　　　　"乡贯举人潘必正，伏蒙琴堂判府龙图侍郎台下：告为结亲完娶事。伏闻才愧相如，无挑琴之兴；贤同颜子，有秉烛之忧。为因兵火流离，情意俱绝；岂期默然之会，所有前因。各有祖留衫襟之表，幸望仁慈，得配终身，偕老终身。所供是实。"

女贞观知客陈妙常供曰:

"伏闻生居宦族,乃无谢女之才;长在玄门,叨沐孙姑之德。法根已尽,绝孟光之慕梁鸿;盗缘以再,断云英之约裴航。闹中取静,打坐看经;忙里偷闲,寻师讲道。岂期百年冤债来寻,况是严师力孝。今有度牒,系是官文,未敢自专。伏望判府俯察来词,特赐与决。"

金陵建康府女贞观道姑潘法成状供:

本观女姑陈妙常供,父陈谷英存日,将女妙常曾指腹与潘必正为妻。见有原割衫襟合同为照。为因兵火离散,各无音耗。幸蒙天赐,偶然相会,所说旧日根苗,辐辏姻缘。俱在青春之际,如乐昌破镜重圆,似文君驾车之愿。所有原关度牒在身,未敢自便还俗。恕蒙准告。望乞台判。

太守看毕，援笔判曰：

> 道可道，名可名。强名曰道。空即是色，色
> 即是空。清者浊之源，守不住炼药丹炉；动者静
> 之机，熬不过凡情欲火。大都未撞着知音，多管
> 是前生注定。抛弃了布袍草履，再穿上翠袖罗
> 裳，收拾起纸帐梅花，准备着罗帏绣幕。无缘
> 处，青浦黄庭消白日；有分时，洞房花烛照乾
> 坤。

张于湖判毕，即令还俗。

潘必正与陈妙常成亲后，于湖举必正贤良方正，除授
苏州府吴江县尹。官至礼部侍郎。妙常生一男一女。夫妻
衣锦荣归，尽天年而终。

续东窗事犯传

锦城士人胡生，名迪，性志倜傥，涉猎经史，好善恶
恶，出于天性。一日，自酌小轩之中，饮至半酣，启囊探
书而读。偶得《秦桧东窗传》，观未毕，不觉赫然大怒，
气涌如山，掷书于地，拍案高吟曰：

> "长脚邪臣长舌妻，忍将忠孝苦谋夷。天曹
> 默默缘无报，地府冥冥定有私。黄阁主和千载

恨，青衣行酒两君悲。愚生若得阎罗做，剥此
奸臣万劫皮！"

朗吟数次，已而就寝。

俄见皂衣一人，至前揖曰："阎君命仆等相招，君宜
速往。"生醉间，不知阎君为谁，遂问曰："阎君何人？
猥素昧平生，今而见召，何也？"皂衣人笑曰："君至则
知，不必详问。"强挽生行。

及十余里，乃荒郊之地，烟雨霏微，如深秋时候。前
有城郭，而居人亦稠密，往来贸易者如市廛之状。既而，
入城，则有殿宇峥嵘，朱门高敞，题曰："曜灵之府"，
门外守者甚严。皂衣者令一人为伴，一人入白之。少焉，
出，曰："阎君召子。"生大骇愕，罔知所以，乃移入门。
殿上王者衮衣冕旒，类人间祠庙中绘塑神像。左右列神吏
六人，绿袍皂履，高幕广带，各执文簿。阶下侍立五十余
众，牛头马面，有长喙朱发者，卓立可畏。生稽首阶下。
王问曰："子胡迪耶？"生曰："然。"王怒曰："子为儒，
须读书习礼，何为怨天怒地，谤鬼侮神乎？"生答曰：
"贱子后进之流，早习先圣先贤之道，安贫守分，循理修
身，未尝敢怨天尤人，而矧乃侮神谤鬼乎！"王曰："然
则'天曹默默原无报，地府冥冥定有私'之句孰为之
邪？"生方悟为怒秦桧之作，再拜谢曰："贱子酒酣，罔
能持性，偶读奸臣之传，致吟忿懑之诗，颙望神君，特
垂宽宥。"王命吏以纸笔令生供款，让曰："尔好掉笔头

议论古今人之臧否，若所供有理，则增寿放回，词意舛讹，则送风刀之狱。"生谢过再四，援笔而供曰：

伏以混沌未分，亦无生而无死；阴阳既判，方有鬼以有神。为桑门传因果之经，知地狱设轮回之报。善者福而恶者祸，理所当然；直之升而屈之沉，亦非谬矣。盖贤愚之异类，若幽显之殊途。是皆不得其平则鸣，匪沽名而钓誉；敢忘非法不道之戒，故惧罪以招愆。出于自然，本自天性。切念某幼读父书，早有功名之志；长承师训，惭无经纬之才。非惟弄月管之毫，拟欲插天门之翼。每夙兴而夜寐，常穷理以修身。读孔孟之微言，思举直而措枉；观王珪之确论，愁激浊以扬清。立贞忠欲效松筠，肯衰老甘同蒲柳！天高地厚，深知半世之行藏；日居月诸，洞见一心之妙用。惟尊贤而似宝，第见恶以如仇。视岳飞父子之冤，欲追求而死诤；视秦桧夫妻之恶，便欲死而生吞。因东窗赞擒虎之言，致北狄知无回銮之望。惧忠臣被屠戮而残灭，恨贼子受棺椁以全终。天道无知，神明安在？俾奸回生于有幸，令贤哲死于无辜。谤鬼侮神，岂比滑稽之士；好贤恶佞，实非迂阔之儒。是皆至正之心，焉有偏私之意？饮三杯之狂药，赋八句之鄙吟，虽冒大聪，诚为小过。惟神鉴之。

王看毕，笑曰："腐儒倔强乃此。虽然，好善恶恶，固君子之所尚也。至夫'若得阎罗做'，其不毁孰其焉。汝若为阎罗，将吾置于何地？"生曰："昔者韩擒虎云：'生为上柱国，死作阎罗王。'又寇莱公江丞相，亦尝为是任，明载简册，班班可考。以此征之，冥君皆世间正人君子之所为也。仆固不敢希韩、寇二公之万一，而公正之心，颇有二公之毫末耳。"王曰："若然，冥官有代，而旧者何之？"生曰："新者既临，旧者必生人道而为王公大人矣。"王顾左右曰："此人所言，甚有玄理。惟其狂直若此，苟不令见之，恐终不信善恶之报，而视幽冥之道如风声水月，无所忌惮矣。"即呼绿衣吏，以一白简书云："右仰普掠狱冥官，即启狴牢，领此儒生遍视报应，毋得违背。"

既而，吏引生之西廊，过后殿三里许，有巨垣，高数仞，以生铁为门，题曰："普掠冥司狱。"吏扣门呼之。少焉，夜叉数辈突出，如有擒生之状。吏叱曰："此儒生也，无罪。阎君令视善恶之状。"以白简与之示焉。夜叉谢生曰："吾辈以为重罪鬼入狱，不知公为书生也。幸勿见罪。"乃启关揖生而入。其中广五十余里，日光淡淡，冷风萧然。四维门碑，皆榜名额：东曰"风雷之狱"，南曰："火车之狱"，西曰"金刚之狱"，北曰"冥冷之狱"。男女荷铁枷者千余人。又至一小门，则见男子二十余人，皆被发裸体，以巨钉钉其手足于铁床之上，项荷铁枷，举身皆刀杖痕，脓血腥秽，不可近傍。一妇人裳而无衣，罩于铁笼中，一夜叉以沸汤浇之。绿衣吏指下者三人，谓生曰："此秦桧父子与万俟卨，此妇人即秦桧之妻王氏也。其他数人，乃章惇、蔡京父子、耿南仲、丁大全、贾似道，皆其同奸党恶之徒。王遣吾施阴刑，令君观之。"即呼鬼卒五十余众，驱桧等至风雷之狱，缚于铜柱，一卒以鞭扣其环，即有锋刀乱至，绕刺其身。桧等体如筛底。良久，雷震一声，击其身如齑粉，血流凝地。少焉，恶风盘旋，吹其骨肉，复为人形。吏谓生曰："此震击者阴雷也，吹者业风也。"又呼卒驱至金刚、火车、冥冷等狱，各狱将桧等受刑尤甚。饥则食以铁丸，渴则饮以铜汁。吏曰：

"此曹凡三日则遍历诸狱受诸苦楚。三年之后变为牛、羊、犬、马，生于凡世，使人烹剥而食其肉。其妻亦为牝豕，与人畜离，食其不洁，亦不免刀烹之苦。今此众以为畜类于世五十余次矣。"生问曰："其罪有限乎？"吏曰："历万劫而无已，岂有限焉！"复引生至西垣一小门，题曰："奸回之狱。"荷

桎梏者百余人，举身插刀，浑类猬形。生曰："此曹何人？"吏曰："皆是历代将相，奸回党恶，欺君罔上，蠹国害民者。每三日，亦与秦桧等同受其刑。三年后，变为畜类，皆同桧也。"复至南垣一小门，题曰："不忠内臣之狱"。内有牝牛数百，皆以铁索贯鼻，系于铁柱，四周以火炙之。生曰："牛畜类也，何罪而致是耶？"吏曰："君勿言，姑俟观之。"即呼狱卒，以巨扇拂火。须臾，烈焰冲天，牛皆不胜其苦，哮吼蹂躅，皮毛焦烂。不久，大震一声，皮忽绽裂，突出者皆人。观之，俱无发鬓，悉阉人也。吏呼夜叉致于镬汤中烹之。已而，皮肉融消，惟存白骨而已。复以冷水沃之，仍复人形。吏谓生曰："此皆历代宦官，汉之十常侍，唐之李辅国、仇士良、王守澄、田令孜，宋之阎文应、童贯之徒。曩者长养禁中，锦衣玉食，欺蔽人主，妒害忠良，浊乱海内，令受此报，历万劫而不原也。"复至东垣，其女数千，皆裸身跣足，咸烹肉剜心，或剉烧舂磨，哀痛之声，彻闻数里。吏曰："此皆在生为官为吏，贪污虐民，不友兄弟，悖负师友，奸淫背夫，为盗为贼，不仁不义者，皆受此报。"生见之大喜，曰："自今日始出吾不平之气也。"吏笑携生之手，偕出。

仍入曜灵殿，再拜稽首谢曰："可谓天地无私，鬼神明察，善恶不能逃其责也。"王曰："尔既见之，心境坦然矣。烦为吾作一判文，以枭秦桧父子夫妻之恶。"即命吏以纸笔给之。生辞别弗获，为之判曰：

尝闻轩辕得六相而助理万机，则神明应至；虞舜有五臣以揆待百事，而内外平成。苟非怀经天纬地之才，曷敢受调鼎持衡之任？今照：奸臣秦桧，斗筲之器，闾阎小人，虽居宰辅之名，实乃匹夫之辈。獐头鼠目，何至意以逢迎；羊质虎皮，阿邪情而诡谀。岂有论道经邦之志，全无扶危拯溺之心！久占都堂，怀奸谋而肆为僭分；闭塞贤路，固宠渥而妒忌忠良。残伤犹剽掠之徒，贪鄙胜穿窬之盗。既忝职居师保，而叨任处公台，惟知黄阁之荣华，罔竭赤心之左右。欺君罔上，擅行予夺之权；嫉贤妒能，专起窜诛之典。奸宄逾其莽、操，凶顽犹胜斯、高。以枭獍为心，蛇蝎成性。忠臣义士，尽陷于罗网之中；贼子乱臣，咸置于庙廊之上。视本朝如敝甑，通敌国若宗亲。鸱鹰啄架臂之人，獒犬吠豢牢之主。奸心迷措，受诡胡兀术之私盟；凶行荒残，害贤将岳飞之正命。悍妻王氏，不言豹隐而言放虎之难；愚子秦熺，只顾狼贪不顾回鸾之幸。一家同性而捻恶，万民共怒以含冤。虽侥幸免乎阳诛，其业报还教阴受。数其罪状，书千张茧纸不能尽其详；察此愆非历万劫畜生不足偿其债。合行榜示，幽显同知。

生呈上，王览之大喜，赞曰："说正之士也！"生因告曰："奸回受报，仆已目击，信不诬矣。其他忠臣义士，在于何处？愿布一见，以释鄙怀，不胜感幸。"王俛首而思良久，乃曰："诸公皆生阳世，为王公大人，享受天禄，数万余次矣。寿满天年，仍回原所。子既求见，吾躬诣导。"

于是登舆而前，俾从者请生于后。行五里许，但见琼楼玉殿，碧瓦参差，朱牌金字，题曰："忠贤天爵之府。"既入，有仙童数百，皆衣紫绡之衣，悬丹霞玉珮，执彩幢绛节，持羽葆花旄，云气缤纷，天花飞舞，龙吟凤唱，仙乐铿锵，异香馥郁，袭人不散。殿中坐者百余人，皆冠通天之冠，衣云锦之裳，蹑珠宝之履，玉珂琼珮，光彩射人。绛绡玉女五百余人，或执五明之扇，或捧八宝之盂，圜侍左右。见王至，悉降阶迎迓。宾主礼毕而坐。彩女数人，执玛瑙之壶，捧玻璃之盏，荐龙睛之果，倾凤宝之茶，世罕闻见。茶既毕，王乃道生所见之故，命生致拜。诸公皆答之尽礼，同声赞曰："先生可谓仁者能好人、能恶人矣。"乃具席命生坐。生谦逊不敢当宾礼。王曰："诸公以子斯文，故待之厚，何用苦辞？"生揖谢坐。王谓生曰："坐上皆忠良之臣、节义之士，在阳则流芳百世，身逝则阴享天恩。每遇明君治世，则生为王侯将相，辅佐朝廷，功施社稷，以辅雍熙之治也。"言既，命二吏送生还。谓生曰："子寿七十有二，今复延一纪。食肉跃马，五十一年。"生悦，再拜而谢。

及辞出，行十余里，天色渐明。吏指谓生曰："日出处，即汝家也。"生挽二吏衣，延归谢之，不觉失手而释，即展臂而寤，时五鼓矣。

清虚先生传

先生，空谷人也，与丽香公子、飞白散人、玄明高士为友，甚相得，三人者，每感其吹嘘之力。惟玄明稍以高自据，先生遣弟子山云遮道而进，将掩其不备以玷之。

云至，玄明敛容问曰："子欲曚昧我邪？"云曰："非弟子之浮薄敢与先生抗，实先生使之来耳。先生乐人之从，高士顾精士自励，不从之，而迷，何相忤邪？"玄明白："先生固东西南北人也。某循途守从之士，安能顺之？且先生行必万里，急则怒号，其性恍惚，令人不能捉抟。是以丽香公子触之而脱冠拜谢，飞白散人遭之而委身如狂。先生且以为鼓舞之术，而不自知其严。子亦知之久矣。子以轻清之才，必有覆护之德。幸为我解焉。"云曰："高士诚明见万里者。其如前驱，实无定踪。倘解高士之围，必被扫逐。"

言未毕而先生至。云乃避之，先生复就焉。云又避之如飞，先生怒而追之，云乃散去。先生怒益急，山鸣虎啸，石走沙飞，江湖作浪，天地震动。云惧，尽其族而复请命。

顷之，飞白散人啸舞而至，与先生相翱翔而问故。先生号呼道之。飞白拍地而笑曰："玄明乃公之良夜友也，胡相隔哉！"遂挽先生访丽香。

569

丽香方苦寒，如沉醉状，颠倒欲眠。先生扶之，而丽香益泄不宁，惟颠首而已。飞白亦击其额而侵之。丽香力不能胜，乃微告曰："二公少避，某即醒矣。"飞白乃避地，先生亦息焉。丽得遂振衣而起，含笑相揖。既而，知玄明之外见，乃赧然对曰："吾四人者，天地之秀也。安能缺一哉？某传世几叶，支衍虽盛，使无玄明公照顾，则皆影灭矣。况玄明亦与二公有光，何独避之？"飞白亦笑曰："玄明虽有缺处，亦颇明白可接。"先生乃和声然之，令云去侧而请焉。

玄明至，交好如初。情思相合，心胆相照，终夜依依，密不忍舍。自是以为常。每至晓，玄明扶云西归，惟丽香则与先生倚栏相笑而已。

先生盛盖天下而不征诸色，泽及万物而不见诸形。然晚年亦性暴好杀，触之者股栗，犯之者容槁。此其所禀之气然也。天下之人，想像其丰彩，而不能物色之，故称之曰"清虚先生"云。

丽香公子传

公子，世传春申君所生，而又曰大树将军之别枝，皆未老，然其为人，色艳质美，人咸爱之。与清虚先生交，先生每狎之，公子必佯狂而舞。及飞白散人至，公子必倾心饱其慧而低首不言，若曲腰向谢之意。玄明高士笑而问曰："子非贱也？遇清虚而即舞；子非贫也？见飞白而多贪。吾甚昏于是。"公子笑而答曰："以子之明，不能亮察我邪？某奕叶联芳，身荣朱紫，根据封土，孰能摇兀？但清虚先生善发人，故某一相接，遂胸中道理勃然萌动，是以不觉其舞蹈耳。至于飞白散人，则轻狂无籍人也，得借一枝，便合缱绻，且欲相压，令人心腹不能自露。况稍得意，弥漫天地之志，欲使万物皆出其下。某以一介之资，安能不顺受其泽邪？"

明日，玄明以告飞白。飞白怒骂曰："公子出身草莽，令色谀言。某虽轻狂，力能屈之，使不见天日。"玄明惧，求解于清虚。清虚飘然而来，以和气劝飞白。飞白意乃释，且谢曰："得先生之解，不觉点化矣。"公子遂洗容出见，不动颜色。飞白愧，披拂倒地，不敢仰视，且自释曰："欲使公子流芳耳，敢有泪滴之累耶？"自是飞白甘为下流，不复与公子比肩矣。

玄明知之，亦负惭自蔽者数日。后形迹稍露，乃逾垣一窥公子之影。公子挽清虚，颠首招之。玄明伛偻而来，且掩其半面以谢。公子曰："某与高士形影相随，何避嫌之有？”乃席地而坐，终日依依，至晓而散。识者谓公子有容人之度，良有以也。

公子少时为妇人女子所爱，有妆残者，必捐己以亲之。清虚先生每戒之曰：“子为色所累，必遭夭折。”公子曰：“今已衰老矣。夫大丈夫宁寸斩焚身，岂死于妇人女子之手耶？”遂谢事，甘朽林下，其族亦渐见零落。

所青帝宰世，公子之子孙渐盛，支宗繁衍，不可胜计。然成之者，清虚与力焉。而玄明、飞白，特往往来一亲近而已。

飞白散人传

散人乃神仙者流，性喜寒，为人洒落，绝无渣滓。四友中独与清虚交契，甚不值于丽香，而于玄明，则淡淡相安而已。

一日，玄明方出游，丽香俟于墙阴，犹未相接，而清虚先生摇丽香之肩而问曰：“玄明今夕来否？”曰：“未也。”曰：“子惯为玄明影射。”曰：“玄明家于东海，其来也逾万山，渡长水，所至之地，一草皆辉。某生于斯，长于斯，进不能前，退不能后，所知者不过撮土之区耳。而玄明之来否，安能逆睹哉？”清虚不悦，乃使人捉散人至。散人遣其仆霰子先报曰：“奈将六出矣。”顷之，前呼后拥，结阵而至。如衔枚疾走，不闻行声。见者皆凛凛忙目而视。玄明知之，中道而避。清虚以为得计，狂荡不能自禁。

　　丽香垂首斜欹，若有怒意，嘘气成雾，直浮青霄。玄明知之，乃乘呼挺身而出，与飞白相对。飞白亦仰视玄明，辉光相荡，似有争意。玄明让曰："吾二人者，不择富贵。而子入长安，贫者蹙额，何不仁也！且自古田土不择高下，虽不洁地亦委身亲之，何不义也！人皆上进，而子独甘下贱，虽公庭之前，万舞自得，何无礼也！辱泥涂，投井壑，而庭除之前每见侮于童子，何不智也！积厚如山，夸耀于世，方见重于人，人皆称赏，而略受温存，去不旋踵，何不信也！某之所以避子者，诚不屑见子耳，岂有所畏哉！"飞白乃回首应曰："子真蟾蜍耳！胡不自鉴，敢与某比？某之术，倏然而灭，倏然而成，清虚且让吾之神；剪发不足以尽巧，飞絮不足以象容，丽香且让吾之色。子何人也？昭昭者未几，而昏昏者继至。安能若某之所至，旁烛无疆，孙康得以夜读，李愬得以擒吴，伟烈照辉，举世称瑞，岂不压倒元白邪？"

清虚因二人凛色交射，各争容彩，乃与丽香从中解纷。散人笑曰："玄明以满足自恃耳！"玄明亦笑曰："飞白以撒泼自放乎！"丽香曰："二公之才，皆皓皓乎不可尚者，正相映以扬休光可也，而乃争高下间哉？"二人感而谢焉，遂为莫逆友。自是宇宙重光，皆二人力也。

后散人遇词客于庭中，客曰："想公久矣。公能爽吾愤耶？"散人不应。客怒，令童子扫其党而烹之。散人知不免，乃投于鼎镬，尸解而去。时玄明在上，丽香在前，而清虚往来于左右，皆不能挽而留也。

玄明高士传

高士生于东海，而其长也，又涉于西海，辙迹遍天下，人皆仰之。未有一登其门者，惟唐玄宗幸其第，遂有广寒宫之名。

高士为人丰采无比，圆神不滞，且识盈虚之数，不以显晦介意。清虚、丽香、飞白三人皆亲炙其辉，而丽香犹一步不忘焉。清虚、飞白忌之，遂加屈辱之苦。丽香望救于高士，高士自昼至暮，始素服而来。丽香方负罪鞠躬叩首以谢，而高士惟冷视而已，不能扶之起也。丽香怒曰："高士以经天纬地之才，昭明洞察之德，乃不能驱清虚于空谷，扫飞白于炎方，使我草莽之士垂首丧气于此耶？"高士曰："居，吾明与子：子非岁寒材也，求免于飘零足矣，而欲拔萃以取荣哉？"丽香益怒，复求解于清虚。清虚不觉大笑，奋然一声，飞白惊倒。丽香遂排脱而起，自是感清虚而疏高士矣。

高士一夕为阴谋所掩，卒然临之，魂魄俱丧，平生所有，吞并殆尽。九州之人，无贵贱，无大小，皆焚香秉烛以救之。而三人者，则如常而已。然清虚犹凄然有惨意；飞白犹暗然有悲色；而丽香则迎笑而问之，若有幸其磨灭者。既而，高士幸完璧。清虚、飞白从而短之，高士曰："丽香非有他也，限于力也。某与丽香可以神交，不可以力助；可以形影，不可以形求。何我韬晦之时多，相会能几何哉！"丽香闻之，叹曰："一疵不存、万里明尽者，吾高士也！向压于飞白而不救者，亦限于力耳！某诚非才，何以知高士之量！"寻续旧交，遨游良夜，或平原旷野之中，或巉岩古壑之岭，或琼楼玉宇之上，或纱窗静槛之下，四友无所不至。所至之处，清气郁然，非寻常俗比矣。

然高士少时爱学美人眉。丽香谓曰："以某之色，得君之眉，媚不可言矣。至老年，血魂消瘦，每持一钩，钓于江汉间。"飞白谓曰："独钓寒江，宁舍我为伴耶？"清虚乃笑曰："吾稍奋焉，则公等或昏昧而逃匿，或弃职而捐躯，

尚能相安相得于宇宙间哉？"三人拱而谢曰："愿淡洵以交，万年一日。幸毋相怃，以至于是。"清虚曰："戏之耳！"复叮咛以为永友，期与天地相终始。